LE NOËL
D'HERCULE POIROT

AGATHA CHRISTIE

LE NOËL
D'HERCULE POIROT

Traduit de l'anglais par Louis Postif

LIBRAIRIE DES CHAMPS-ÉLYSÉES

Ce roman a paru sous le titre original :

HERCULE POIROT'S CHRISTMAS

PREMIÈRE PARTIE

22 DÉCEMBRE

I

Stephen releva le col de son pardessus et se mit à arpenter le quai de la gare. De grosses locomotives lançaient dans l'air glacé des tourbillons de fumée qui obscurcissaient l'atmosphère. Tout était malpropre et barbouillé de suie.

« Quel sale pays! Quelle ville dégoûtante! » pensa Stephen.

Le plaisir éprouvé en arrivant dans la capitale anglaise à la vue des magasins, des restaurants, des jolies femmes, s'évanouissait déjà et il comparait Londres à un faux diamant serti dans une vilaine monture.

Et s'il retournait tout de suite en Afrique du Sud?... En proie au mal du pays, il revoyait en imagination le soleil, le ciel bleu, les jardins pleins de fleurs.

Ici, partout de la boue, de la saleté, et des gens pressés, se bousculant, comparables à des fourmis affairées autour de leur fourmilière.

Un moment, il regretta d'être venu. Puis il se souvint de son projet et serra les lèvres. Il ne pouvait s'arrêter en si bon chemin! Durant des années, il avait échafaudé son plan. Ce n'était plus le moment de reculer.

Il considéra comme une preuve de faiblesse cette répugnance momentanée à mettre son idée à exécution. Oublier le passé? Pas question! Il n'était plus un gamin. A quarante ans, il se sentait un homme de décision, capable de mener à bien ce qu'il était venu faire en Angleterre.

Il monta dans le train et longea le couloir à la recherche d'une place assise. Ayant refusé d'un geste les services d'un porteur, il tenait à la main sa valise de cuir et jetait un coup d'œil dans chaque compartiment. Le train était au complet. On était seulement à trois jours de Noël. D'un œil méprisant, Stephen Farr considérait les gens assis.

Partout du monde! Une multitude de gens... Et tous si... comment dire?... si ternes! C'était bien cela : une foule monotone. Tous ces individus se ressemblaient! Ceux qui n'avaient pas de profils de mouton avaient des têtes de lapin. Quelques-uns bavardaient et se donnaient de l'importance. D'autres, des hommes d'âge mûr, au corps épais, grognaient. Ceux-là rappelaient plutôt les habitants de la porcherie. Les jeunes filles elles-mêmes, avec leur taille élancée, leur visage ovale et leurs lèvres rouges, offraient une uniformité déprimante.

Stephen soupira après le veldt africain, les grandes étendues baignées de soleil, l'immense solitude.

Soudain, il retint son souffle. Dans un des compartiments, il venait d'apercevopir une jeune fille différente des autres. Cheveux noirs, teint mat, yeux profonds, sombres comme la nuit... les yeux tristes et fiers des Méridionales.

La présence de cette jeune fille au milieu de cette foule amorphe lui parut insolite. Stephen se la représentait sur un balcon, une rose entre les lèvres, une mantille de dentelle noire sur la tête... avec, dans l'air, une odeur de sang et de course de taureaux... mais pas dans le coin d'un compartiment de troisième classe.

Le jeune homme remarqua la pauvreté de la jupe et du manteau de la voyageuse, la qualité médiocre de ses gants, de ses chaussures trop légères, et aussi la note discordante de son sac à main d'un rouge vif. Cependant, il ne pouvait s'empêcher de l'associer à un décor splendide, car elle était vraiment superbe, cette étrange créature !

Que venait-elle faire dans ce pays de brouillards et de froidure, parmi ces fourmis affairées ?

« Il faut que je sache qui elle est et ce qu'elle vient faire ici », pensa Stephen.

II

Pilar, recroquevillée dans son coin, près de la fenêtre, se disait que l'Angleterre exhalait une drôle d'odeur... La différence d'odeur avec le pays d'où elle venait était ce qui la frappait le plus. Ici, point d'ail, point de poussière et très peu de parfum. Ce compartiment sentait le renfermé, le soufre et le savon. Pilar renifla délicatement et décela une autre odeur déplaisante... émanant du col de fourrure de la grosse dame assise à côté d'elle. Comment pouvait-on se parfumer à la naphtaline ? se demanda Pilar.

Un coup de sifflet retentit, une voix de stentor cria un avertissement, le train s'ébranla et sortit de la gare.

Le cœur de Pilar battit un peu plus vite. Mènerait-elle à bien le plan qu'elle s'était tracé ? Oh oui ! Elle y avait mûrement réfléchi... et s'était préparée à toute éventualité. Elle réussirait... elle devait réussir...

Les lèvres rouges de Pilar remontèrent vers les coins et sa bouche prit soudain une expression cruelle et gourmande à la fois, comme la bouche d'un enfant soucieux de satisfaire ses désirs et ignorant encore la pitié.

Elle regarda autour d'elle avec une curiosité non dissimulée. Tous ces Anglais – ils étaient sept – lui paraissaient comiques. Tous étaient riches et prospères, à en juger par leurs vêtements et leurs chaussures. Oh ! elle savait par ouï-dire que l'Angleterre était un pays riche. Mais vraiment, ces gens-là manquaient de gaieté.

Debout dans le couloir, se tenait un bel homme... tout à fait du goût de Pilar. Elle aimait son visage bronzé, la courbe de son nez busqué et ses épaules carrées. Pilar avait senti que cet homme l'admirait. Sans avoir levé les yeux sur lui, elle savait au juste combien de fois il l'avait regardée et devinait sa surprise.

Pilar enregistra le fait sans émotion : elle venait d'un pays où les hommes ne se gênaient pas pour regarder les femmes. Elle se demanda s'il était anglais et décida que non. « Il est trop vivant, se dit-elle, et pourtant il a les cheveux blonds. Peut-être est-il américain ? » Il lui rappelait les acteurs de western.

Un employé, se frayant un chemin le long du couloir, annonçait :

– Déjeuner ! Premier service ! Premier service !

Les sept occupants du compartiment de Pilar possédaient des tickets pour le premier service. Ils se levèrent comme un seul homme et Pilar se trouva dans une paisible solitude.

Elle remonta la vitre qu'une femme à cheveux gris et à l'air batailleur avait baissée de quelques centimètres. Puis elle s'installa confortablement et contempla la banlieue septentrionale de Londres. Elle ne détourna pas la tête lorsque la porte s'ouvrit. Pilar savait que c'était l'homme du couloir qui pénétrait dans le compartiment pour bavarder avec elle.

L'air pensif, elle ne quittait pas des yeux la fenêtre.

– Voulez-vous que je baisse la vitre ? lui demanda Stephen.

– Au contraire, monsieur, je viens de la fermer, lui répondit-elle d'un ton détaché.

Elle parlait l'anglais correctement, mais avec un léger accent.

Durant le silence qui suivit, Stephen pensa : « Une

voix pleine de soleil... Une voix chaude, comme une nuit d'été... »

De son côté, Pilar se dit : « J'aime sa voix ample et forte. Cet homme est bien séduisant. »

— Le train est bondé, reprit Stephen.

— Oui. Les gens quittent Londres... sans doute parce qu'il y fait trop sombre.

L'éducation de Pilar ne comportait pas de tabous. On ne lui avait pas appris à considérer comme un crime de parler à un inconnu dans un train.

Si Stephen avait été élevé en Angleterre, il eût peut-être hésité à entrer en conversation avec une jeune fille. Dans la simplicité de son âme, il ne voyait aucun mal à adresser la parole à qui bon lui semblait.

Il sourit à la réponse de Pilar et dit :

— Londres est une ville horrible, n'est-ce pas?

— Oh oui! Je ne l'aime pas du tout.

— Moi non plus.

— Vous n'êtes pas anglais?

— Je suis citoyen de l'Empire britannique, mais je viens d'Afrique du Sud.

— Voilà l'explication! s'exclama Pilar.

— Et vous? Vous venez de l'étranger?

— Oui, d'Espagne.

— Ah! alors, vous êtes espagnole?

— A moitié. Ma mère était anglaise. Voilà pourquoi je parle l'anglais.

— Et que pensez-vous de cette guerre d'Espagne?

— C'est affreux... Que de destructions!

— A quel parti appartenez-vous?

Les idées politiques de Pilar semblaient plutôt vagues. Dans le village qu'elle habitait, on parlait peu de la guerre.

— Cela se passe loin de chez nous, expliqua-t-elle. Naturellement, le maire, en tant que fonctionnaire, soutient le gouvernement; le curé est pour le général Franco... mais le reste des gens s'occupent de leurs vignes et de leurs cultures et n'ont pas le temps de discuter ces questions.

— Ainsi vous n'avez été témoin d'aucune bataille?

— Pas dans ma région, mais comme je traversais le pays en voiture, j'ai vu des villes entières anéanties... Une bombe est tombée près de nous : une maison s'est écroulée et une auto a flambé sous nos yeux. Ce spectacle en valait la peine!

— Vous avez pris plaisir à contempler ce désastre?

— J'en ai été fort ennuyée, car je voulais poursuivre ma route et notre chauffeur a été tué au volant.

— Vous n'en avez pas été autrement bouleversée?

Pilar écarquilla ses grands yeux sombres.

— Nous devons tous mourir un jour ou l'autre, n'est-ce pas? Si la mort tombe du ciel et vous frappe... boum!... comme cela, d'un seul coup, on part un peu plus vite, voilà tout! On vit aujourd'hui et demain on est mort.

— Vous ne me faites pas l'effet d'être une pacifiste, dit Stephen en riant.

— Une... quoi?

Le mot n'entrait pas dans le vocabulaire de la jeune Espagnole.

— Pardonnez-vous à vos ennemis, señorita?

Pilar secoua énergiquement la tête.

— Je n'ai pas d'ennemis. Mais si j'en avais...

— Eh bien?

Stephen l'observait, fasciné par la courbe de ses jolies lèvres cruelles.

— Si j'avais un ennemi, prononça Pilar d'une voix grave, un ennemi réel... je lui couperais la gorge comme ceci...

Sa main esquissa un geste rapide.

Stephen demeura stupéfait.

— Vous êtes assoiffée de sang, señorita?

De son ton le plus naturel, Pilar lui demanda :

— Et vous, comment traiteriez-vous un ennemi?

Il sursauta, dévisagea la jeune fille, puis éclata de rire.

— Je n'en sais rien...

— Mais si, voyons! insista Pilar, agacée. Vous devez bien le savoir.

Stephen cessa de rire, poussa un soupir et proféra d'une voix basse :

— Oui, je le sais... (Puis changeant rapidement de sujet, il demanda à Pilar :) Pourquoi ce voyage en Angleterre?

— Je viens pour vivre dans ma famille... ma famille anglaise.

— Je comprends.

Tout en étudiant la jeune fille, Stephen se demandait à quoi ressemblait la famille anglaise de cette étrangère, et essayait d'imaginer cette Espagnole dans un foyer de Britanniques compassés, pendant les fêtes de Noël!

— Est-ce beau, l'Afrique du Sud? demanda Pilar.

Stephen lui parla de son pays. Elle l'écouta avec l'attention et la joie d'une enfant à qui l'on raconte une histoire. Il prit plaisir à répondre à ses interrogations naïves mais judicieuses et s'amusa à transformer son récit en une sorte de conte de fées.

Le retour des sept voyageurs mit fin à cette distraction. Stephen se leva, sourit à son interlocutrice et regagna le couloir.

Au moment de franchir la porte du compartiment, il s'écarta pour laisser passer une vieille dame et ses yeux tombèrent sur l'étiquette d'une valise en raphia; de toute évidence celle de la jeune étrangère. Il lut : *Miss Pilar Estravados...* L'adresse qui suivait le laissa presque incrédule : *Manoir de Gorston, Langsdale, Addlesfield.*

Il se retourna à demi, lança vers la jeune fille un regard intrigué, puis sortit dans le couloir et, l'air soucieux, alluma une cigarette.

III

Dans le grand salon bleu et or du manoir de Gorston, Alfred Lee et Lydia, son épouse, discutaient leurs projets pour la fête de Noël. De belle carrure et d'âge moyen, Alfred possédait un visage agréable et des yeux châtain clair. Il parlait d'une voix calme et précise. La tête enfoncée dans les épaules, il donnait plutôt une impression d'inertie. Lydia, mince et souple, dégageait une vivacité extraordinaire et chacun de ses mouvements évoquait la grâce d'un lévrier. De son visage se dégageait une réelle distinction; sa voix était charmante.

— Que veux-tu? disait Alfred, père insiste! Nous n'y pouvons rien.

Refrénant un mouvement d'impatience, sa femme répliqua :

— Faut-il toujours nous soumettre à ses volontés?

— Il est très vieux, chérie...

— Oh! je sais bien, je sais...

— Il s'attend à ce qu'on lui obéisse toujours.

— Naturellement, puisqu'on lui a toujours cédé! observa Lydia d'un ton sec. Mais, un jour ou l'autre, il faudra bien que tu lui résistes.

— Qu'entends-tu pas là, Lydia?

Il la considéra d'un air si étonné qu'elle se mordit les lèvres et hésita avant de poursuivre.

— Que veux-tu dire, Lydia? répéta Alfred Lee.

Elle haussa ses épaules fines et gracieuses et prononça d'une voix lente, en cherchant ses mots :

— Ton père se montre... un peu tyrannique...

— Il est vieux.

— Il deviendra encore plus vieux et, en conséquence, plus tyrannique. Où cela finira-t-il? Déjà nous ne faisons que ce qui lui plaît. Si nous prenons une décision sans le consulter, il s'ingénie à bouleverser tous nos projets.

– Père s'attend à passer le premier. Il est très bon pour nous, Lydia.

– Très bon! très bon!

– Parfaitement! proféra Alfred d'un ton sévère. Il a des goûts simples, mais jamais il ne nous refuse quoi que ce soit. Tu peux dépenser ce que tu veux pour ta toilette ou les besoins de la maison, il règle les factures sans faire la moindre observation. Ne nous a-t-il pas encore offert une voiture neuve la semaine dernière?

– Pour ce qui est de l'argent, ton père est très généreux, j'en conviens. Mais en retour, il exige de nous une soumission d'esclaves.

– D'esclaves?

– C'est le mot que j'ai employé. Tu es son esclave, Alfred. Si nous avons l'intention de sortir et que ton père veuille que nous restions, aussitôt tu décommandes nos rendez-vous et tu restes ici sans un murmure! S'il lui plaît, au contraire, de nous voir sortir, nous partons... Nous ne sommes pas maîtres de nos mouvements, nous dépendons entièrement de ton père.

L'air affligé, son mari lui dit :

– Je regrette que tu aies prononcé de telles paroles, Lydia. Tu te montres vraiment ingrate, après tout ce que père a fait pour nous.

Ravalant la réplique prête à sortir de ses lèvres, elle haussa une fois de plus ses fines épaules.

– Tu sais bien, Lydia, que père t'aime beaucoup.

– Oui, eh bien moi, je ne l'aime pas du tout! rétorqua Lydia d'une voix nette et tranchante.

– Tu me fais de la peine en parlant ainsi.

– Peut-être, mais il faut parfois dire la vérité.

– Si père savait...

– Ton père sait bien que je ne l'aime pas et, au fond, je crois que ça l'amuse.

– Tu te trompes, Lydia, il me parle souvent de ta gentillesse à son égard.

– Evidemment, je me montre toujours polie envers lui et ne cesserai de l'être. Je veux simplement te faire part de mes sentiments réels. Je déteste ton père, Alfred. C'est un vieillard sournois et tyrannique. Il te malmène et abuse de ton affection filiale. Voilà des années que tu aurais dû secouer son joug.

— Ça suffit! répliqua Alfred d'un ton sec. Lydia, je te prie de te taire.

— Excuse-moi, soupira-t-elle, j'ai peut-être tort... Revenons à nos projets pour Noël. Crois-tu réellement que ton frère David viendra?

— Pourquoi pas?

Elle hocha la tête d'un air de doute.

— David est bizarre. Voilà des années qu'il n'a pas mis les pieds dans cette maison. Il aimait tant votre mère... et cet endroit lui rappelle de mauvais souvenirs.

— David a toujours énervé père, avec sa musique et ses airs rêveurs. Tout de même, je crois que David et Hilda viendront pour Noël.

— Oui, Noël! Paix sur la terre aux hommes de bonne volonté, prononça Lydia, un sourire ironique aux lèvres. Je me demande s'ils viendront. En tout cas, George et Magdalene ont promis d'arriver demain. Je crains que Magdalene ne s'ennuie terriblement.

— Quelle idée a eue mon frère d'épouser une femme de vingt ans plus jeune que lui! George s'est toujours conduit comme un fou!

— Il a bien réussi dans sa carrière, observa Lydia. Ses électeurs l'aiment beaucoup et Magdalene ne ménage pas sa peine pour l'aider politiquement.

— Je n'aime pas ma belle-sœur, déclara Alfred. Elle est très jolie... mais elle me fait l'effet de ces poires magnifiques... à la peau rose et à l'aspect cireux...

— Et dont la chair est insipide, fit Lydia. Comme c'est drôle de t'entendre parler ainsi!

— Pourquoi?

— Parce que, d'habitude, tu es si indulgent! Tu dis rarement du mal de quelqu'un. Cela m'ennuie même de te voir... comment dire... trop peu soupçonneux.

14

Tu ne comprends pas la méchanceté des gens. Le monde...

– Le monde est, je crois, ce que nous le faisons nous-mêmes, dit le mari en souriant.

– Non! expliqua Lydia. Le monde est mauvais. Le mal n'existe pas seulement dans notre esprit. Si tu es au-dessus des mesquineries et des méchancetés, moi je les sens, ici même... dans cette maison...

Elle se mordit les lèvres et se détourna.

– Lydia...

Elle leva la main pour avertir son mari d'une présence étrangère et regarda vers la porte.

Un homme sombre se tenait là, l'air déférent.

– Qu'y a-t-il, Horbury? demanda Lydia.

– C'est de la part de Mr Lee, madame, répondit Horbury d'une voix basse et respectueuse. Monsieur m'envoie vous dire qu'il y aura deux autres invités pour Noël et vous prie de leur préparer des chambres.

– Deux autres invités? fit Lydia.

– Oui, madame. Un monsieur et une demoiselle.

– Une demoiselle? répéta Alfred d'un air étonné.

– Voilà ce qu'a dit Mr Lee, monsieur.

– Je vais monter tirer l'affaire au clair! lança Lydia.

Horbury fit un seul petit pas en avant, à peine un mouvement, qui suffit à réprimer l'élan de la maîtresse de maison.

– Je demande pardon à madame, mais Mr Lee repose. Il m'a dit de veiller à ce qu'on ne le dérange pas.

– Entendu, dit Alfred. Nous n'allons pas le déranger.

– Merci, monsieur, dit Horbury en se retirant.

– Je déteste cet homme, déclara Lydia, au bout d'un instant. On ne l'entend jamais entrer.

– Je ne l'apprécie pas davantage, répliqua son mari, mais cet homme connaît son métier et il n'est pas

15

facile de trouver un bon valet de chambre pour un malade. Père l'aime beaucoup, c'est l'essentiel.

– Comme tu le dis, c'est l'essentiel, Alfred. Au fait, qui peut bien être la demoiselle en question?

– Je n'en ai pas la moindre idée.

Ils se regardèrent l'un l'autre. Puis, Lydia fit une moue expressive.

– Sais-tu, Alfred, je pense à une chose... Ton père a dû s'ennuyer ces derniers temps, et il songe à se divertir pour les fêtes de Noël.

– En introduisant deux étrangers dans une réunion de famille?

– Oh! je ne sais pas encore quels seront les détails de ce divertissement, mais j'ai l'impression que ton père cherche une distraction.

– J'espère qu'il en tirera beaucoup de plaisir, fit Alfred d'un ton grave. Cloué dans sa chambre et incapable de marcher après la vie aventureuse qu'il a menée, le pauvre homme est assez à plaindre.

– Après la vie... aventureuse qu'il a menée, répéta lentement Lydia.

La pause qu'elle fit avant le mot aventureuse conféra à cette épithète un sens tout à fait spécial. Alfred s'en rendit compte et rougit, l'air très malheureux.

– Comment peut-il avoir un fils comme toi, je me le demande! éclata la jeune femme. Vous vous ressemblez si peu! Il te fascine... et tu l'adores... tout simplement!

– Voyons, Lydia, tu exagères. Rien de plus naturel que l'amour d'un fils pour son père. Le contraire serait monstrueux.

– En ce cas, les autres membres de cette famille sont... des monstres! conclut Lydia. Oh! inutile de discuter. Je te fais des excuses. Je t'ai fait de la peine. Crois-moi, telle n'était point mon intention. Je t'admire beaucoup pour ta fidélité envers ton père. La loyauté est une qualité si rare de nos jours! Disons, si tu veux, que je suis jalouse. On dit les femmes jalouses de leur belle-mère... pourquoi pas de leur beau-père?

Gentiment, Alfred prit Lydia par la taille :

– Voyons, chérie, tu ne penses pas ce que tu dis. Tu n'as aucune raison de te montrer jalouse.

Contrite, elle lui caressa doucement la joue.

– Je le sais. Il me semble que je n'aurais pas été jalouse de ta mère. J'aurais bien voulu la connaître.

– C'était une faible femme, soupira-t-il.

– Pourquoi une faible femme? lui demanda Lydia avec curiosité.

– Je la vois toujours malade... et souvent en pleurs. Elle manquait d'énergie.

– C'est drôle..., murmura Lydia.

Comme il tournait vers elle un regard interrogateur, Lydia parla d'autre chose.

– Puisque nous ne pouvons savoir qui sont nos hôtes mystérieux, je sors pour finir mon jardin.

– Il fait très froid, chérie. Le vent est glacé.

– Je me couvrirai bien.

Elle quitta le salon. Demeuré seul, Alfred resta un moment debout, immobile, le sourcil froncé. Puis il alla vers la grande fenêtre à un bout de la pièce. Sur la terrasse longeant la façade de la maison, il vit apparaître Lydia, enveloppée d'une grande pèlerine de laine. Elle portait un panier plat. L'ayant posé à terre, elle se mit à l'ouvrage devant une large vasque de pierre, légèrement surélevée au-dessus du sol.

Son mari l'observa un moment. Enfin il sortit du salon, prit un épais pardessus et un cache-nez, puis émergea sur la terrasse par une porte de côté. Il longea d'autres vasques de pierre que les doigts habiles de Lydia avaient transformées en jardins miniatures.

L'un d'eux représentait une scène du désert avec du sable jaune, un bouquet de palmiers verts en fer peint, une procession de chameaux, un ou deux petits arabes et quelques huttes primitives en pâte à modeler. Dans un jardin italien on voyait des terrasses ornées de fleurs en cire à cacheter. Il y avait aussi un jardin arctique, où des morceaux de verre figuraient les icebergs sur lesquels étaient posés des groupes de pingouins. Puis venait un jardin japonais où poussaient deux jolis arbustes nains et où des fragments de miroirs représentaient les cours d'eau enjambés par des ponts.

Alfred s'approcha de sa femme. Elle venait de garnir le fond d'un des bassins d'une feuille de papier bleu qu'elle recouvrait d'une plaque de verre. Elle plaça tout autour des petits rochers et versa de menus cailloux contenus dans un sac pour imiter le rivage. Entre les rochers, elle planta de petits cactus.

Lydia se disait à elle-même : « C'est bien ça... tout à fait ce que je voulais. »

– Quel est ce dernier chef-d'œuvre ?

Elle sursauta, car elle n'avait pas entendu venir son mari.

– C'est la mer Morte, Alfred. Comment la trouves-tu ?

– Un peu aride. Si tu y mettais un peu plus de végétation ?

Lydia secoua la tête.

– Pas du tout. C'est la mer Morte, voyons...

– Ce jardin n'est pas aussi joli que les autres.

– J'ai surtout pensé à rendre l'idée que je me fais de la mer Morte...

On entendit un bruit de pas sur la terrasse. Un vieux maître d'hôtel, les cheveux blancs et le dos légèrement voûté, se dirigeait vers eux.

– C'est Mrs George Lee qui téléphone, madame. Elle demande si Mr George et elle ne vous dérangeront pas en arrivant demain par le train de 17 h 20.

– Répondez-leur que cela ira très bien ainsi.

– Merci, madame.

Le domestique s'éloigna d'un pas rapide. Lydia le regarda disparaître.

– Ce cher Tressilian! Voilà un serviteur fidèle. Nous ne saurions nous passer de lui.

– Il est de la vieille école, dit Alfred. Il nous sert depuis quarante ans et il est dévoué à toute la famille.

– Oui. Il me rappelle les vieux domestiques dont on parle dans les romans. Il serait capable de commettre un parjure si cela était nécessaire pour protéger un de vous.

– J'en suis convaincu, acquiesça Alfred.

Lydia donna la dernière touche à sa plage de galets.

– Voilà! dit-elle. C'est prêt.

– Prêt? répéta Alfred, perplexe.

– Pour la fête de Noël... pour cette sentimentale réunion de famille...

IV

David lisait une lettre. Il en avait fait d'abord une boule et l'avait jetée; puis, l'ayant ramassée, il la défroissa pour la relire.

Sans dire un mot, Hilda, sa femme, l'observait. Elle remarqua la vibration de sa tempe, le léger tremblement de ses longues mains délicates et les mouvements spasmodiques de tout son corps nerveux. Il rejeta de côté la mèche blonde qui lui descendait toujours sur le front, et tourna vers sa femme ses yeux bleus interrogateurs.

– Hilda, qu'allons-nous faire?

Elle hésita avant de répondre, car elle avait décelé une note d'épouvante dans la voix de son mari. Elle savait à quel point il se reposait sur elle... comme toujours depuis leur mariage. Elle pouvait influencer sa décision, et pour cette raison même, elle évita de se prononcer de façon trop catégorique.

– C'est à toi de juger si tu dois y aller, David.

Hilda rappelait vaguement une gravure hollandaise. Il y avait une tendre sollicitude dans le ton de sa voix; et de tout son être émanait une énergie vitale qui attire les faibles. Cette personne d'âge mûr, aux formes épaisses, n'était ni très capable ni très brillante, mais elle s'imposait à vous par sa puissante personnalité.

David se lança et arpenta la pièce de long en large. Avec ses cheveux blonds, à peine grisonnants, son visage demeurait extrêmement jeune. L'air inquiet, il dit à sa femme :

— Tu connais mon sentiment, Hilda.

— Je n'en suis pas bien certaine.

— Je t'ai pourtant répété maintes fois que je déteste la maison de Gorston et tout ce qui en fait partie! Elle ne me rappelle que des souvenirs malheureux. Quand je songe à l'époque où j'y vivais... aux souffrances de ma mère...

Hilda le regarda avec sollicitude.

— Elle était si douce et si patiente, Hilda! Je la vois sur son lit de malade, souffrant sans se plaindre... Dieu seul sait ce qu'elle a enduré. Et quand je songe à mon père... (son visage s'assombrit.) Mari infidèle, il la rendait malheureuse... il se vantait de ses bonnes fortunes devant elle et l'humiliait à tout propos.

— Au lieu de se résigner, elle aurait dû le quitter.

— Elle était bien trop bonne pour cela! répliqua David sur un ton de reproche. Elle croyait de son devoir de rester près de lui. En outre, où serait-elle allée si elle avait quitté sa maison?

— Elle aurait pu refaire sa vie ailleurs.

— En ce temps-là, les femmes ne se comportaient pas comme aujourd'hui. Elles supportaient tout patiemment, et pensaient aux leurs avant de prendre une telle décision. Mettons qu'elle ait obtenu le divorce, que serait-il arrivé? Mon père se serait remarié et aurait fondé un autre foyer. Elle devait songer aux intérêts de ses enfants.

Hilda demeura silencieuse et David ajouta :

– Elle a bien agi. C'est une sainte. Elle a souffert jusqu'au bout... sans se plaindre.

– Pas tout à fait, riposta Hilda, puisque tu es au courant de ses chagrins.

Le visage de David s'éclaira :

– Oui... elle me les confiait... Elle savait la profondeur de mon affection pour elle... Quand elle est morte... (Il fit une pause et passa sa main dans ses cheveux.) Hilda, c'est affreux! Te dire ma peine quand elle est morte... Elle n'aurait pas dû partir si jeune! C'est père qui l'a tuée! Il est responsable de sa mort : il lui a brisé le cœur. A partir de ce moment, j'ai décidé de ne plus vivre sous le même toit que lui. Je me suis enfui de cette maison maudite.

– C'était le meilleur parti à prendre.

– Père voulait me donner la direction de l'usine, ce qui m'aurait obligé à vivre à la maison. Je n'aurais pu le supporter et je me demande comment Alfred s'en tire depuis tant d'années.

– N'a-t-il jamais eu un sursaut de révolte? demanda Hilda. Ne m'as-tu pas dit qu'il avait dû abandonner une autre carrière pour obéir à votre père?

– Si, il devait entrer dans l'armée. Père avait tout prévu. Alfred, l'aîné, devenait officier de cavalerie. Harry et moi, prendrions la direction de l'usine, et George ferait de la politique.

– Mais les choses tournèrent autrement?

– Harry bouleversa les plans paternels. Il a toujours été un mauvais sujet... Il s'endetta et eut pas mal d'histoires. Enfin, un jour, il leva le pied, emportant quelques centaines de livres qui ne lui appartenaient pas et laissant derrière lui un billet où il expliquait qu'un siège de bureau ne lui convenait guère et qu'il allait voir du pays.

– Et depuis vous n'en avez pas entendu parler?

– Oh! si! (David éclata de rire et poursuivit :) Il se rappela trop souvent à notre souvenir. De tous les coins du monde, mon père recevait des câblogrammes réclamant de l'argent et, d'habitude, on lui en envoyait.

— Et Alfred?

— Papa l'a obligé à abandonner l'armée pour entrer à l'usine... Au début, il en a éprouvé beaucoup de chagrin. Il détestait ce genre de travail. Mais père a toujours mené Alfred par le bout du nez.

— Et toi... tu y as échappé! fit Hilda.

— Oui. J'ai décidé de me rendre à Londres pour étudier la peinture. Père m'a prévenu que si je commettais une telle sottise, il me verserait une petite rente sa vie durant, mais ne me laisserait rien à sa mort. Je lui ai répondu que je m'en souciais peu. Il m'a traité d'imbécile et je suis parti. Depuis je ne l'ai pas revu.

— Et tu ne l'as jamais regretté? demanda doucement sa femme.

— Non. Je sais bien que ma peinture ne me donnera pas la célébrité. Je ne serai jamais un grand artiste... mais nous vivons heureux... nous avons tout ce qu'il nous faut... du moins l'essentiel. Et, si je meurs, tu toucheras mon assurance sur la vie. (Il fit une pause. Du plat de la main, il frappa le papier étalé sur la table.) Mais maintenant... cette lettre...

— Mon pauvre David, je suis navrée de voir que cette lettre te bouleverse à ce point. Ton père n'aurait pas dû t'écrire.

— Il me demande d'aller à la maison pour la fête de Noël et d'y amener ma femme afin de voir toute la famille réunie! Que se trame-t-il là-dessous?

— Pourquoi chercher autre chose que ce que ton père écrit?

David lança un regard interrogateur à sa femme. Hilda ajouta avec un sourire :

— Il prend de l'âge et devient sentimental en vieillissant. Il désire voir sa famille autour de lui. Ces choses arrivent... La solitude doit lui peser.

— Hilda, tu voudrais que je réponde à son appel?

– Oui. Ce serait dommage de lui refuser cette satis-
faction. Je suis peut-être vieux jeu, mais pendant les
fêtes de Noël : paix sur la terre aux hommes de bonne
volonté! Pourquoi ne lui pardonnerais-tu pas?

– Après tout ce que je t'en ai raconté?

– Je sais, je sais, chéri. Mais tout cela est le passé...
Chasse de ton esprit le souvenir des offenses pendant
la période bénie de Noël!

– Impossible!

– Tu veux dire que tu y penseras toujours?

– Oui, répondit David. Nous autres, Lee, nous
sommes ainsi faits. Nous n'oublions jamais! Le souvenir du mal qu'on nous a fait ne s'efface pas avec les
années... au contraire!

– Il n'y a pas de quoi être fier!

Pensivement, David regarda sa femme :

– Tu n'attaches donc aucun prix à la loyauté... à la
fidélité du souvenir?

– Pour moi, ce qui importe, c'est le présent... Le
passé doit rentrer dans le néant. Si nous cherchons à le
faire survivre, nous le déformons et nous en exagérons
les proportions par une fausse perspective.

– Je me rappelle chaque parole, chaque incident de
cette époque!

– Tu ne devrais plus y penser, mon chéri! Tu juges
ces jours d'autrefois avec la passion du jeune garçon
que tu étais alors, au lieu de les voir avec le calme d'un
homme mûr.

– Quelle différence y vois-tu?

Hilda hésita, comprenant la difficulté de poursuivre
cette discussion, mais elle voulait pourtant dire certaines vérités.

– Mon cher David, tu vois toujours un croquemitaine en ton père. A tes yeux, il personnifie la méchanceté. Si tu le revoyais à présent, sans doute te ferait-il
l'effet d'un homme très ordinaire; un homme qui s'est
peut-être laissé dominer par ses passions et dont la vie

fut loin d'être sans reproches, néanmoins un homme comme les autres... et non un monstre!

— Tu t'obstines à ne pas comprendre. Il a été cruel envers ma mère...

— Il existe une forme de soumission, lui expliqua gravement Hilda, une douceur résignée... qui décuple les mauvais penchants d'un homme... Ce même homme, placé devant une volonté forte et énergique, aurait pu se conduire de façon toute différente.

— Alors, tu donnes tort à ma mère...

— Non, bien sûr que non! Je ne doute pas que ton père l'ait traitée très mal, mais le mariage est une chose si complexe que personne n'a le droit de juger les époux... pas même leurs enfants! Et puis, tes ressentiments ne peuvent plus rien pour ta mère. Tout cela est bien fini. A présent, il reste simplement un vieillard en mauvaise santé, qui demande à son fils de venir près de lui pour les fêtes de Noël.

— Et tu veux que je cède à son désir?

Après une hésitation, Hilda répondit:

— Oui, je voudrais que tu ailles tuer le croquemitaine, une fois pour toutes.

V

George Lee, membre du Parlement pour le comté de Westeringham, était un homme de belle prestance. Agé de quarante et un ans, il avait des yeux bleus pâle légèrement saillants et la mâchoire épaisse. Il parlait lentement, avec une certaine pédanterie.

— Je te l'ai dit, Magdalene. Je crois de mon devoir de m'y rendre.

Exaspérée, sa femme haussa les épaules. C'était une blonde platinée, aux sourcils épilés et au visage d'un parfait ovale. Quand elle le voulait, ses traits ne reflétaient aucune expression... en ce moment par exemple.

– Mais, chéri, cela va être triste à mourir.

– Songe un peu, lui dit son mari, les traits illuminés par l'idée brillante qui venait de germer dans son esprit, songe un peu à l'économie que nous allons réaliser! Noël est une époque où l'on fait toujours de grosses dépenses. Nous donnerons simplement aux domestiques le prix de leur nourriture.

– Après tout, dit Magdalene, Noël est triste n'importe où!

– Sans doute, fit George poursuivant son idée, ils s'attendront à réveillonner. Que dis-tu d'un beau morceau de bœuf au lieu de la dinde?

– Pour qui? Pour les domestiques? Oh! George, ne t'inquiète pas de cela. Tu te fais toujours de la bile pour les questions d'argent.

– Il faut bien que quelqu'un s'en fasse!

– Oui, mais c'est absurde de toujours compter comme un avare. Pourquoi ne demandes-tu pas à ton père de se montrer plus généreux?

– Il me sert déjà une belle rente.

– C'est terrible de dépendre ainsi de ton père. Il devrait te donner tout de suite une grosse somme.

– Cela sortirait trop de ses habitudes.

Magdalene tourna vers son mari ses yeux couleur noisette, au regard soudain dur et pénétrant. Cette fois, son visage n'était plus dénué d'expression.

– Il est très riche, ton père, n'est-ce pas, George?

– Plusieurs fois millionnaire, je crois.

Magdalene poussa un soupir d'envie.

– Et où a-t-il gagné tout cet argent? En Afrique du Sud?

– Oui. Il a fait une grosse fortune, là-bas, dans sa jeunesse. Il prospectait des mines de diamants... Rentré en Angleterre, il s'est mis dans les affaires et a doublé, ou peut-être triplé son capital.

– Et quand il mourra, que deviendra cette fortune?

– Père n'en parle guère, et c'est bien délicat de le lui

demander. La quasi totalité ira sans doute à Alfred et à moi. Naturellement, Alfred touchera la plus forte part.

— Tu as d'autres frères, il me semble.

— Bien sûr, il y a David, mais je ne pense pas que père lui lègue grand-chose. Il a quitté la maison pour devenir artiste, ou quelque autre sottise de ce genre. Père l'a averti qu'il le déshériterait et mon frère a répondu qu'il s'en moquait.

— Faut-il être stupide! s'écria Magdalene avec mépris.

— Il y avait aussi ma sœur Jennifer. Elle s'était enfui avec un étranger... un artiste espagnol... un ami de David. Elle est morte voilà un an, en laissant une fille. Père donnera sans doute quelque chose à cette enfant, mais rien de conséquent. Et puis, il y a Harry...

— Harry? fit Magdalene, surprise. Qui ça, Harry?

Il s'interrompit, légèrement embarrassé.

— Euh... un de mes frères.

— Tu ne m'as jamais parlé de celui-là.

— C'est que, vois-tu, chérie, il ne fait pas honneur à la famille. Nous n'en parlons jamais. Voilà des années que nous n'avons pas eu de ses nouvelles, il est probablement mort.

Magdalene éclata de rire.

— Qu'est-ce qui te fait rire?

— C'est si drôle de penser que toi, George, tu puisses avoir un frère qui se conduit mal! Tu es un homme si vertueux!

— Je l'espère bien, dit George froidement.

Magdalene fronça le sourcil.

— Ton père, lui n'est pas très respectable!

— Voyons, Magdalene!

— Parfois, je suis gênée quand il me parle.

— Tu m'étonnes. Qu'en pense Lydia?

— Oh! il ne lui raconte sûrement pas les mêmes choses qu'à moi. (Furieuse, elle ajouta :) Non, il lui parle différemment. Je me demande pourquoi.

– Bah! Soyons indulgents. A l'âge de père... et avec sa mauvaise santé...

– Est-il réellement si malade? demanda Magdalene.

– Oh! je ne dis pas qu'il est en danger de mort. Il est même d'une résistance étonnante. Mais puisqu'il veut voir sa famille réunie autour de lui pour la Noël, nous ferons bien d'accepter son invitation. C'est peut-être son dernier Noël.

– Tu dis cela, George, mais je crois qu'il vivra encore bien des années! observa Magdalene d'une voix tranchante.

– Oui... oui... c'est possible, balbutia son mari, interloqué.

– Ma foi, nous ferions tout de même bien d'aller le voir, déclara Magdalene.

– Sans aucun doute.

– Ce n'est pas que cela m'amuse! Alfred est stupide et Lydia me traite de haut... Si, si, je t'assure. De plus, je déteste cet odieux valet de chambre.

– Le vieux Tressilian?

– Non, Horbury! Il se faufile partout et fait un tas de simagrées.

– Vraiment, Magdalene, je ne vois pas ce que tu peux reprocher à Horbury!

– Il me tape sur les nerfs! Enfin, tant pis. Il faut que nous allions voir ton père. Mieux vaut ne pas l'offenser.

– Tu as raison. Et maintenant, pour le réveillon des domestiques...

– Nous en reparlerons plus tard, George. Je vais donner un coup de fil à Lydia pour lui annoncer notre arrivée demain par le train de 17 h 20.

Magdalene quitta la pièce. Après avoir téléphoné, elle monta à sa chambre et s'assit devant son secrétaire. Ayant relevé le couvercle, elle fureta dans les tiroirs et bientôt les factures s'amoncelèrent devant elle. Magdalene les tria et s'efforça de les classer.

Finalement, elle poussa un soupir et en fit un paquet qu'elle remit dans un des tiroirs. Passant la main sur sa chevelure platinée, elle murmura :

– Mon Dieu, que faire ?

VI

Au premier étage du manoir de Gorston, au fond d'un long couloir, se trouvait une immense chambre donnant sur la grande allée du parc. Dans cette pièce, aux murs tapissés d'un épais brocart, on voyait d'énormes fauteuils de cuir, de grands vases ornés de dragons en relief, des statues en bronze... Tout y était magnifique, coûteux et massif.

Au fond du plus imposant des fauteuils était assis un vieillard maigre et décrépit. Ses longues mains, aux doigts semblables à des serres d'oiseau de proie, reposaient sur les bras du fauteuil. Une canne à pommeau d'or se trouvait à portée de sa main droite. Enveloppé dans une vieille robe de chambre d'un bleu fané, il était chaussé de pantoufles. Il avait des cheveux blancs et la peau du visage jaune et toute ridée.

A première vue, on se serait cru en présence d'un être insignifiant. Pourtant la courbe fière de son nez aquilin et le feu sombre de ses prunelles vous obligeaient à bientôt changer d'avis.

En ce moment, Simeon Lee bavardait tout seul et semblait beaucoup s'amuser. Puis, il s'adressa à son valet de chambre qui se tenait debout près de son fauteuil.

– Vous avez fait ma commission à Mrs Alfred ?

– Oui, monsieur, répondit l'homme d'un ton respectueux.

– Dans les termes que je vous ai recommandé d'employer ?

– Oui, monsieur, je ne me suis pas trompé d'un mot, monsieur.

– C'est bien... c'est bien... Du reste, si vous ne suiviez pas exactement les ordres que je vous donne, vous le regretteriez. Et qu'a-t-elle dit, Horbury? Qu'a dit Mr Alfred?

D'une voix calme, le domestique raconta ce qui s'était passé dans le salon bleu. Se frottant les mains, le vieux gloussa de plaisir :

– Magnifique... Splendide!... Ils ont dû être intrigués... tout cet après-midi! C'est merveilleux! A présent, je veux les voir, dites-leur de monter.

– Oui, monsieur.

Sans bruit, Horbury se dirigea vers la porte et sortit.

– Au fait, Horbury...

Le vieillard se retourna et poussa un juron.

– Il n'est plus là! Cet individu ne fait pas plus de bruit qu'un chat. On ne sait jamais où il se trouve.

Simeon demeura dans son fauteuil, caressant son menton.

Un coup fut frappé à la porte : Alfred et Lydia entrèrent.

– Ah! Vous voilà! Asseyez-vous ici, ma chère Lydia, tout près de moi. Comme vous avez de belles couleurs!

– Je suis sortie dans le froid. Quand on rentre, les joues vous brûlent.

– Comment vas-tu, père? T'es-tu bien reposé cet après-midi? demanda Alfred.

– Très bien. J'ai dormi et j'ai rêvé au bon vieux temps... à cette époque bénie où je ne possédais ni richesse ni influence sociale. Ha! ha! ha!...

Sa belle-fille l'écoutait poliment, un sourire aux lèvres.

– Père, dit Alfred, quelle est cette nouvelle?... deux autres invités pour la Noël?

– Ah! voilà! Il faut que je vous explique. Cette année, je veux avoir une fête superbe pour la Noël...

un très beau Noël. Récapitulons : il y aura George et Magdalene...

– Oui, fit Lydia, ils arriveront demain au train de 17 h 20.

– Cet imbécile de George! s'écria le vieux Simeon. Une cervelle vide! Et pourtant, c'est mon fils.

– Ses électeurs l'aiment beaucoup, observa Alfred.

– Sans doute parce qu'ils le croient honnête. Un Lee honnête! Un tel phénomène n'existe pas dans la famille.

– Voyons, père! se récria son aîné.

– Tu fais exception à la règle, mon garçon.

– Et David? demanda Lydia.

– J'oubliais David. Je suis curieux de le revoir après tant d'années. Dans sa jeunesse, il était d'un sentimentalisme idiot. Je me demande comment est sa femme. En tout cas, il n'a pas commis la sottise d'épouser une femme de vingt ans plus jeune que lui, comme cet abruti de George!

– Hilda a répondu une très gentille lettre, dit Lydia, et je viens de recevoir d'elle un télégramme annonçant qu'ils arriveraient demain.

Son beau-père lui lança un regard pénétrant.

– Lydia conserve toujours son calme, déclara-t-il en riant. Je dois dire, ma chère Lydia, que vous êtes une personne bien élevée. Il est vrai que vous sortez d'une très bonne famille. Drôle de chose que l'hérédité! Parmi mes enfants, un seul me ressemble... un seul de ceux qui portent mon nom. (Une flamme dansa dans ses yeux.) Devinez à présent qui doit venir à Noël... Je vous le donne en mille.

Il les dévisagea l'un après l'autre.

– Horbury nous a dit que vous attendiez une demoiselle, murmura Alfred, le sourcil froncé.

– Cela vous a intrigués, hein? J'en étais sûr. Pilar va arriver d'un instant à l'autre. J'ai envoyé la voiture à la gare.

– Pilar? dit Alfred, interloqué.

– Oui, Pilar Estravados. La fille de Jennifer... et ma petite-fille. Je me demande à qui elle ressemble.

– Bonté divine! s'exclama Alfred. Tu ne m'en as pas parlé.

Le vieillard grimaça un sourire.

– Je voulais tenir son arrivée secrète. Je lui ai fait écrire par Charlton, mon notaire. Il s'est occupé des détails de son voyage.

– Tu ne m'en as pas parlé... répéta Alfred, mortifié.

– Cela eût gâté la surprise! reprit son père, un sourire mauvais éclairant ses traits. J'aurai plaisir à revoir de la jeunesse sous mon toit! Je n'ai jamais vu Estravados. Savoir de qui tient la petite... du père ou de la mère?

– Crois-tu avoir agi sagement, père? Tout bien considéré...

– Quel homme timoré tu fais, Alfred! Toujours ennemi de la nouveauté et du risque... Ah! tu ne me ressembles guère. Pilar est ma petite-fille... mon unique petite-fille! Qu'importe la conduite de son père! Elle est de mon sang et va venir vivre dans ma maison.

– Elle va venir *habiter* ici? s'écria Lydia.

Il lui jeta un vif coup d'œil :

– Y voyez-vous une objection?

– J'aurais mauvaise grâce à vouloir empêcher de recevoir quelqu'un chez vous. Non, je pensais simplement à cette jeune fille... Je... Sera-t-elle heureuse ici?

Le vieux Simeon redressa la tête.

– Elle n'a pas un sou vaillant. Elle devrait me remercier!

Lydia haussa les épaules et Simeon se tourna vers Alfred.

– Ecoute. Nous allons avoir un Noël splendide! J'aurai tous mes enfants autour de moi. Tous mes enfants! A présent, Alfred, devine qui est l'autre visiteur.

L'interpellé ouvrit de grands yeux.

– Voyons, mon garçon. Je te dis que j'aurai tous mes enfants autour de moi. Devine!... Harry, naturellement! Ton frère Harry!

– Harry... tout de même, pas Harry! balbutia Alfred.

– Si, Harry en personne.

– Mais on le croyait mort.

– Que non!

– Et tu... tu le fais revenir ici... après tout ce qu'il a fait?

– Le retour du fils prodigue! Nous allons tuer le veau gras, Alfred. Il faut lui faire une belle réception.

– Il a jeté sur vous... sur nous tous... le déshonneur, murmura le fils aîné, il a...

– A quoi bon rappeler ses crimes? La liste en serait trop longue. Mais, souviens-toi, Noël est la saison du pardon. Nous accueillerons donc joyeusement le fils prodigue.

– Cette nouvelle m'a donné un choc, dit Alfred. Je n'aurais jamais imaginé de revoir Harry à la maison.

– Tu n'as jamais aimé Harry, n'est-ce pas? lui demanda Simeon d'une voix douce.

– Après la façon dont il nous a traités...

– Oublions le passé. On doit célébrer la fête de Noël dans un esprit de pardon, n'est-ce pas, Lydia?

Elle aussi avait pâli.

– Vous voulez avoir beaucoup de monde autour de vous, cette année, pour la Noël, dit-elle d'un ton sec à son beau-père.

– Je veux voir ma famille réunie autour de moi. Paix sur la terre aux hommes de bonne volonté. Je me fais vieux. Vous partez, Lydia?

Alfred avait quitté la place. Lydia fit une pause avant de le suivre.

Siméon désigna de la tête Alfred qui venait de franchir le seuil de la chambre.

– Il en est tout bouleversé. Harry et lui ne se sont jamais aimés. Harry se moquait d'Alfred et le surnommait : Piane-Piane.

Lydia allait riposter, mais elle se contint devant l'expression cruelle du vieillard. Le calme de sa belle-fille désarma enfin le vieux Siméon. Lydia, s'en rendant compte, eut le courage de dire :

– Dans la fable du Lièvre et de la Tortue, c'est tout de même la tortue qui a gagné la course.

– Dans la vie, il en va souvent autrement, ma chère Lydia.

– Excusez-moi, mais il faut que je rattrape Alfred, lui dit-elle toujours souriante. Toutes ces émotions le troublent.

– Ah! il n'aime guère le changement. Alfred a toujours préféré la tranquillité.

– Alfred vous est tout dévoué, lui dit Lydia.

– Cela vous étonne, n'est-ce pas?

– A certains moments, oui.

Elle quitta la pièce sous l'œil sarcastique de son beau-père qui se frotta les mains en ricanant :

– Ce que je vais m'amuser à Noël!

Péniblement, il se leva, et, s'appuyant sur sa canne, il traversa la chambre. Il s'arrêta devant le coffre-fort placé dans un coin de la pièce et forma la combinaison. La porte s'ouvrit et Siméon glissa une main tremblante dans les profondeurs du coffre. Il en retira un petit sac de cuir souple qu'il vida sur la table, laissant passer entre ses doigts un flot de diamants bruts.

– Vous voilà, mes jolies... toujours là... mes bonnes amies d'autrefois. C'était le bon vieux temps... les jours heureux... On ne vous taillera pas, mes chéries. Les dames ne vous porteront ni à leur cou, ni à leurs doigts, ni à leurs oreilles. Vous m'appartenez... à moi seul... mes chères vieilles amies! Vous et moi, nous avons des secrets communs. Ils disent que je suis vieux et malade, mais je ne suis pas un homme fini. Il reste de la vie dans ma carcasse. Et je veux encore tirer quelque plaisir de l'existence...

DEUXIÈME PARTIE

23 DÉCEMBRE

I

De son pas lent, Tressilian allait répondre au vigou-reux coup de sonnette d'un visiteur impatient. Avant qu'il ait eu le temps de traverser le vestibule, la sonnette retentit de nouveau. Le vieux domestique s'empourpra de colère. Quelle façon de se présenter chez les gens!

A travers le carreau gelé de la porte vitrée, il aperçut une silhouette masculine coiffée d'un feutre mou aux bords rabattus. Tressilian ouvrit la porte. Devant lui, se tenait un inconnu aux vêtements bon marché et de couleur criarde.

— Voyons! Mais c'est toujours ce bon vieux Tressi-lian... Comment va?

Tressilian écarquilla les yeux, poussa un profond soupir et dévisagea le visiteur. Cette mâchoire arro-gante, ce grand nez busqué, ces yeux rieurs... Il les retrouvait après tant d'années... encore plus audacieux qu'autrefois!

— Ah! Mr Harry! s'écria le vieux maître d'hôtel.

— Vous paraissez épaté de me voir. Je suis pourtant attendu, n'est-ce pas?

— Oui, monsieur! Certainement, monsieur!

— Alors, pourquoi jouer la surprise?

Harry recula d'un pas et leva les yeux vers la maison... masse de briques rouges sans fantaisie.

— Toujours aussi laide, remarqua-t-il. Elle tient tout

35

de même debout. C'est l'essentiel. Comment va mon père, Tressilian?

– Il est presque invalide, monsieur. Il garde la chambre et ne peut guère marcher. Mais il se porte assez bien pour son âge.

– Ah! le vieux brigand!

Harry Lee s'avança dans le vestibule. Tressilian lui prit son écharpe et son chapeau quelque peu excentrique.

– Comment va mon cher frère Alfred, Tressilian?

– Très bien, monsieur.

– Il brûle d'impatience de me revoir, hein?

– Je le crois, monsieur.

– Moi, je parie le contraire. Il considère mon retour comme une sale blague. Alfred et moi ne nous sommes jamais aimés. Lisez-vous quelquefois votre Bible, Tressilian?

– Oui, monsieur.

– Rappelez-vous la parabole de l'Enfant Prodigue. Si vous vous en souvenez, le bon frère vit son retour d'un mauvais œil. Je suis certain que ce vieux casanier d'Alfred ne se réjouit pas de ma venue.

Tressilian baissa les yeux. Seul son dos plus raide semblait protester. Harry lui donna une tape sur l'épaule.

– Le veau gras m'attend. Conduisez-moi vers lui!

– Voulez-vous passer au salon, monsieur? murmura Tressilian. Je ne sais pas où sont les autres... On n'a pu envoyer quelqu'un à la gare, car on ne savait par quel train vous arriveriez.

Harry approuva d'un signe de tête et regarda autour de lui.

– Je retrouve tous les objets à la place qu'ils occupaient voilà vingt ans. Rien de changé depuis mon départ.

Il suivit Tressilian au salon.

– Je vais voir si je puis trouver Mr ou Mrs Alfred,

lui dit le vieux serviteur, avant de sortir précipitamment.

Harry Lee fit quelques pas dans la pièce et s'arrêta net devant une jeune personne assise sur le large rebord d'une des fenêtres. N'en croyant pas ses yeux, il contempla la chevelure noire et le teint mat de l'inconnue.

– Grand Dieu! s'exclama-t-il. Seriez-vous la septième épouse de mon père... et la plus jolie?

Pilar glissa à terre et vint vers lui :

– Je suis Pilar Estravados. Et vous êtes sans doute mon oncle Harry, le frère de ma mère.

Harry la dévisagea longuement.

– Ainsi, vous êtes la fille de Jennifer?

– Oui. Pourquoi m'avez-vous demandé si j'étais la septième épouse de votre père? A-t-il réellement eu six femmes?

– Non. Je crois qu'il n'en a eu qu'une de légitime, Pil... Comment vous appelez-vous, au juste?

– Pilar.

– Eh bien, Pilar, cela me change un peu de rencontrer une fleur comme vous dans ce mausolée.

– Ce maus...?

– Ce musée de momies! Cette maison m'a toujours fait l'effet d'être sale! Aujourd'hui, elle me dégoûte plus que jamais.

– Oh! non, riposta Pilar, scandalisée. Tout est splendide ici! Les meubles sont superbes... Partout, des objets d'art... des choses somptueuses!

– Là, vous avez raison, ricana Harry, considérant sa nièce d'un air amusé. Je n'en reviens pas de vous trouver au milieu de...

Il s'interrompit à la vue de Lydia qui entrait au salon et allait droit vers lui.

– Bonjour, Harry! Je suis Lydia, la femme d'Alfred.

Il lui serra la main, observa le visage mobile et

intelligent de sa belle-sœur et constata avec plaisir qu'elle avait une démarche gracieuse.

De son côté, Lydia le jugea du premier coup d'œil. Elle songea : « Il a l'air terriblement effronté... mais plein de charme. Je n'aurais guère confiance en lui... »

– Comment trouvez-vous la maison après une si longue absence? dit-elle, souriante. Différente... ou toujours la même?

– Je n'y vois pas grand changement. Cependant, cette pièce a été refaite... Vous y avez apporté des transformations.

– Oui, bien sûr...

Il tourna vers elle un regard malicieux qui rappela fort à Lydia celui du vieillard assis là-haut dans son grand fauteuil.

– Ce salon paraît aujourd'hui plus... distingué, dit Harry. Je me suis laissé dire qu'Alfred avait épousé la descendante d'un des preux compagnons de Guillaume le Conquérant?

Lydia sourit.

– Je crois que oui, mais depuis cette époque, l'arbre est bien monté en graine.

– Comment va ce vieil Alfred? demanda Harry. Toujours aussi collet-monté?

– Je ne sais si vous le trouverez changé.

– Et les autres? Disséminés à travers l'Angleterre?

– Non... Ils sont tous ici à l'occasion de la Noël.

Harry ouvrit de grands yeux.

– Un vrai Noël familial. Qu'est-ce qui lui prend, à mon vieux père? Autrefois, il n'était guère sentimental... et sa famille ne l'intéressait pas outre mesure. Il s'attendrit avec l'âge?

– Peut-être! dit Lydia d'un ton sec.

Pilar écoutait la conversation, les yeux écarquillés.

– Et comment va George? demanda Harry. Toujours aussi avare?

– George fait de la politique. Il est membre du Parlement.

– Comment! George au Parlement? Ça alors!

Harry jeta la tête en arrière et rit à gorge déployée. Son rire de stentor, dans ce salon guindé, enchanta Pilar, et Lydia fronça le sourcil.

A un bruit derrière lui, Harry s'arrêta de rire et se retourna brusquement. Alfred se tenait près de la porte et considérait son frère d'un air bizarre.

Après un instant d'hésitation, Harry sourit.

– Tiens! c'est Alfred! s'exclama-t-il.

– Bonjour, Harry.

Les deux frères se dévisagèrent longuement. Lydia retint son souffle et songea : « Ils sont ridicules! On dirait deux chiens... qui se mesurent du regard! »

De son côté, Pilar pensait : « Comme ils sont stupides de rester ainsi l'un devant l'autre... Pourquoi ne s'embrassent-ils pas? Non, évidemment, les Anglais ne s'embrassent pas. Ils pourraient tout de même se dire quelque chose. Pourquoi se regardent-ils ainsi? »

– Cela me semble tout drôle de me retrouver à la maison, articula enfin Harry.

– Je comprends cela. Il y a pas mal d'années que tu... l'as quittée.

Harry leva la tête et passa l'index le long de sa joue, ce qui, chez lui, trahissait une humeur querelleuse.

– Oui, dit-il, je suis heureux d'être revenu... chez nous.

Il fit une pause avant de prononcer ces derniers mots afin de leur donner plus de poids.

II

– Ma vie n'a certes pas été exemplaire, disait Simeon Lee.

Enfoncé dans son grand fauteuil, le menton relevé,

l'air pensif, d'un doigt il caressait sa joue. Devant lui, les flammes d'un bon feu dansaient. Pilar, assise au coin de la cheminée, tenait à la main un petit écran de carton, dont elle se protégeait le visage. De temps à autre, elle s'éventait d'un geste souple du poignet. Simeon l'observait.

Il continuait de parler, plus pour lui-même que pour la jeune fille, mais stimulé par sa présence.

– Tous les hommes sont méchants, du moins à ce que prétendaient les bonnes sœurs, dit Pilar en haussant les épaules. Voilà pourquoi il faut prier pour eux.

– Ah! Mais moi j'ai été plus méchant que les autres hommes, déclara son grand-père en ricanant. Je ne regrette rien... rien du tout! On dit qu'on se repent dans sa vieillesse des fautes de sa jeunesse. Quelle sottise! Moi, je n'éprouve aucun remords... Pourtant, j'ai commis tous les péchés... Et les femmes... J'en ai eu des aventures dans ma vie! On m'a parlé, l'autre jour, d'un chef arabe qui possédait une garde personnelle formée de ses quarante fils... tous à peu près du même âge! Ah! Quarante! Je ne sais si j'arriverais à quarante, mais je pourrais me découvrir une garde assez nombreuse si je recherchais mes bâtards! Hé! Pilar, que penses-tu de ton grand-père? Je te scandalise?

– Non, pourquoi serais-je scandalisée? Les hommes ont de tout temps désiré les femmes. Mon père comme les autres. Voilà pourquoi leurs épouses sont malheureuses et vont à l'église.

Le vieux fronça le sourcil, et murmura pour lui-même :

– Evidemment, j'ai rendu Adélaïde malheureuse. Dieu! quelle femme! Jolie et fraîche comme une rose au début de notre mariage. Mais par la suite, elle ne faisait que gémir et pleurnicher. Rien n'exaspère un homme comme de voir toujours sa femme en pleurs. Si seulement elle s'était révoltée! Mais jamais le moindre reproche... En l'épousant, je croyais changer de conduite, m'assagir, élever une famille et... rompre avec le passé...

Sa voix s'éteignit. Il regardait les flammes mobiles.

– Elever une famille... Dieu! Quelle famille!

Soudain, il fit entendre un ricanement aigu.

– Voyez-les, tous tant qu'ils sont! Pas un qui m'ait donné un petit-fils pour perpétuer mon nom! Ils n'ont pas de sang dans les veines! Alfred, par exemple... Ce qu'Alfred peut m'ennuyer avec son air de chien fidèle... J'aime bien Lydia, sa femme. Elle, au moins, a de l'énergie. Elle me déteste, je le sais bien! Mais elle me supporte à cause de ce benêt d'Alfred.

Il jeta un coup d'œil à la jeune fille assise au coin du feu.

– Pilar, retiens bien ceci : rien n'est aussi ennuyeux qu'une soumission aveugle à votre volonté.

Elle lui sourit. Il poursuivit, heureux de bavarder devant cette jeune fille à la personnalité si vive :

– Et George? Un empoté! Un sac plein de vent, une tête sans cervelle et... avare avec cela! David? Un rêveur! La seule chose raisonnable qu'il ait faite c'est d'épouser une femme pleine de bon sens. (Il frappa du poing le bras de son fauteuil :) Harry est le meilleur de la bande! Harry, le mauvais sujet de la famille. Du moins, celui-là est plein de vie!

– Oui, acquiesça Pilar. Il sait rire... Il rit fort, en renversant la tête en arrière. Moi aussi, j'aime bien Harry.

– Il a toujours su plaire aux femmes. Il tient cela de moi. (Le vieillard eut un ricanement sifflant d'asthmatique :) Ah! j'ai bien vécu! Rien ne m'a manqué!

– En Espagne, nous avons un proverbe qui dit : « Prenez ce qui vous plaît, pourvu que vous y mettiez le prix, et Dieu sera content. »

D'un geste approbateur, le vieux Simeon tapota le bras de son fauteuil.

– Voilà qui est parler! « Prenez ce qui vous plaît »... Toute ma vie, j'ai pris ce qui me plaisait...

– Et avez-vous payé, grand-père?

Simeon s'arrêta et ricana doucement. Puis se redressant, il fixa sur Pilar un œil interrogateur :

– Que dis-tu là?

– Je demande si vous avez payé pour ce que vous avez pris, grand-père?

– Je... je n'en sais rien, répondit Simeon. (Frappant du poing le bras de son fauteuil, il s'écria :) Qu'est-ce qui te fait dire cela, mon enfant?

– Oh! une idée, comme ça... susurra la jeune fille, cessant de s'éventer.

Les yeux sombres et voilés de mystère, elle rejetait la tête en arrière, consciente de sa féminité.

– Petite diablesse! s'écria son grand-père.

– Vous m'aimez tout de même, grand-père, fit-elle d'une voix douce. Cela vous amuse que je vienne ici bavarder avec vous.

– Bien sûr. Il y a si longtemps que je n'ai vu une femme aussi jeune et jolie près de moi. Cela me fait du bien et réchauffe mes vieux os... De plus, tu es mon propre sang... Cette brave Jennifer s'est montrée la meilleure de la famille, après tout!

Pilar souriait.

– Attention! Ne crois pas que je sois dupe de ta gentillesse, lui dit Simeon. Je sais bien pourquoi tu viens écouter patiemment mes radotages... C'est pour mon argent... Voyons, tu ne vas pas prétendre que tu aimes ton vieux grand-père?

– Oh! je n'éprouve pas pour vous un sentiment bien profond, répondit Pilar, mais tout de même vous me plaisez. Je sais que vous avez été méchant, mais cela ne m'ennuie pas du tout. Vous êtes plus vivant qu'aucune des autres personnes de cette maison et vous me racontez des choses intéressantes. Vous avez beaucoup voyagé et vous avez mené une vie aventureuse. Si j'étais homme, je vous ressemblerais.

– Je le crois volontiers, dit Simeon... On m'a toujours dit qu'il y avait un peu de sang gitan dans la famille. Mes enfants n'en ont pas hérité... si ce n'est Harry... En tout cas, il reparaît chez toi. De plus, je sais être patient, quand il le faut. Une fois, j'ai attendu quinze ans pour me venger d'une offense. C'est là un autre trait caractéristique des Lee... ils n'oublient jamais! Un homme m'avait roulé. J'ai attendu quinze ans l'occasion propice pour assouvir ma vengeance. Je l'ai ruiné, cet homme... Je l'ai mis sur la paille!

Le vieillard ricanait doucement.

– Etait-ce en Afrique du Sud? demanda Pilar.

– Oui. Un pays splendide...

– Vous y êtes retourné depuis?

– J'y suis retourné, pour la dernière fois, cinq ans après mon mariage.

– Mais avant cela? Y avez-vous passé plusieurs années?

– Oui.

– Parlez-moi de votre vie là-bas.

Il commença le récit de son existence de prospecteur. Pilar, s'abritant derrière son éventail, l'écoutait.

Bientôt, la voix du vieillard se fit plus basse :

– Attends, je vais te montrer quelque chose.

Avec mille précautions, il se leva et, s'appuyant sur sa canne, il traversa lentement la pièce. Il ouvrit le coffre-fort, se retourna et fit signe à Pilar d'approcher.

– Tiens, regarde-moi ça! Touche-les, laisse-les couler entre tes doigts. (Il éclata de rire devant l'air intrigué de Pilar :) Sais-tu ce que c'est? Des diamants, ma petite, des diamants!

Pilar les regarda de plus près :

– Mais ce ne sont que des petits cailloux.

– Ce sont des diamants bruts, mon enfant. C'est ainsi qu'on les trouve.

– Et si on les taillait, ce seraient de vrais diamants?

demanda Pilar, incrédule. Ils brilleraient et lanceraient mille feux?

– Oui, ils lanceraient mille feux.

– Ces pierres ont une grande valeur?

– Une très grande valeur. Il est difficile de les estimer tant qu'elles ne sont pas taillées. Cependant, ce petit lot vaut plusieurs milliers de livres.

– Plusieurs... milliers... de... livres? répéta Pilar, laissant un intervalle entre les mots.

– Mettons neuf ou dix mille livres... Ce sont des pierres assez grosses.

– Alors, pourquoi ne les vendez-vous pas?

– Parce qu'il me plaît de les conserver ici.

– Mais tout cet argent?

– Je n'en ai pas besoin.

– Je comprends, fit Pilar, impressionnée. Mais pourquoi ne les faites-vous pas tailler? Elles seraient plus belles à regarder.

– Parce qu'elles me plaisent mieux ainsi. (Il ajouta, se parlant à lui-même :) Rien que de les toucher, de les sentir entre mes doigts, cela me reporte loin en arrière... Je revois le soleil, les bœufs... le vieux Eb... les camarades... je pense aux soirées... je sens l'odeur du veldt...

On frappa discrètement à la porte.

– Remets-les vite dans le coffre et ferme d'un coup sec, dit Simeon à Pilar avant de crier : Entrez!

Plein de déférence, Horbury pénétra dans la pièce et annonça :

– Le thé est servi en bas.

III

– Tiens! te voilà? dit Hilda à son mari. Je te cherchais partout. Ne restons pas dans cette pièce. Il y fait froid.

David ne répondit pas tout de suite. Il regardait un fauteuil bas recouvert de satin, à la couleur passée.

– C'était son fauteuil..., murmura-t-il soudain. Elle prenait toujours ce fauteuil... il est toujours le même... seulement un peu fané...

Le front de Hilda se plissa légèrement.

– Je comprends, fit-elle. Viens, David. Sortons d'ici, il y fait terriblement froid.

Sans l'écouter, David jeta les yeux autour de la pièce.

– Elle s'installait dans ce petit salon et je me vois encore assis à ses pieds, sur ce tabouret, tandis qu'elle me lisait *Jack, le tueur de géants*... C'est bien cela : *Jack, le tueur de géants*. Je devais avoir sept ans, alors.

Hilda passa une main ferme sous le bras de son mari.

– Viens au salon, chéri. Cette pièce n'est pas chauffée.

Il la suivit docilement, mais elle sentit qu'il tremblait.

– Tout est resté comme avant... On dirait que le temps n'a pas bougé...

Hilda paraissait soucieuse. Cependant, elle dit d'un ton gai et décidé :

– J'aimerais bien savoir où se trouvent les autres. Il est l'heure du thé.

David se dégagea et ouvrit une porte.

– Il y avait un piano, ici... Oh! il y est encore... Je me demande s'il est toujours accordé.

Il s'assit sur le tabouret, souleva le couvercle du piano et ses mains coururent sur les touches.

– Oui, il est bien accordé.

Il se mit à jouer. L'instrument vibra sous ses doigts.

– Voilà des années que je ne l'ai pas joué, dit David.

Elle le jouait souvent, ce morceau. C'est un chant sans paroles, de Mendelssohn.

La mélodie douce, très douce, remplit la pièce.

– Joue-moi du Mozart, demanda Hilda.

David secoua la tête et attaqua une autre mélodie de Mendelssohn.

Soudain, ses mains s'abaissèrent sur les touches en produisant un bruit discordant. Il se leva, tremblant de tous ses membres. Hilda alla vers lui.

– David... Qu'as-tu?

– Ce n'est rien.

IV

La sonnette retentit de façon agressive. Tressilian se mit en route pour aller ouvrir. Avant qu'il n'ait atteint la porte, la sonnette retentit de nouveau et Tressilian fronça le sourcil. A travers le carreau gelé, il entrevit la silhouette d'un homme coiffé d'un feutre aux bords rabattus. Le vieux maître d'hôtel se passa la main sur le front. Quelque chose le tracassait. On eût dit que les événements se répétaient de manière insolite. Rêvait-il ou est-ce que...

Il tira le verrou et ouvrit le battant. A cet instant, le charme fut brisé. L'inconnu debout sur le seuil demanda :

– Est-ce ici que demeure Mr Simeon Lee?

– Oui, monsieur.

– Pourrais-je le voir, s'il vous plaît?

L'écho d'un vieux souvenir se réveilla dans la mémoire de Tressilian. Il se souvenait de cette intonation de voix... Elle le reportait loin dans le passé... à l'époque où Mr Lee arrivait en Angleterre.

Tressilian secoua la tête d'un air de doute.

– Mr Lee est un invalide, monsieur. Il ne reçoit guère. Si vous...

Tirant une enveloppe de son portefeuille, l'étranger la tendit au domestique.

– Veuillez remettre ceci à Mr Lee.

– Bien, monsieur.

V

Simeon Lee prit l'enveloppe et en retira la feuille de papier qu'elle renfermait. Il parut surpris, leva les sourcils et sourit.

– Voilà qui est magnifique! s'exclama-t-il. Tressilian, faites monter Mr Farr ici.

– Bien, monsieur.

– Je pensais justement à ce vieil Ebnezer Farr, mon associé, là-bas, à Kimberley, confia le vieillard à Pilar. Et voici son fils qui me tombe du ciel!

Tressilian reparut bientôt et annonça :

– Mr Farr, monsieur.

Stephen Farr entra. Pour dissimuler sa nervosité, il prit un petit air bravache, et prononça avec un accent sud-africain plus marqué que d'habitude :

– C'est à Mr Lee que j'ai l'honneur de parler?

– Je suis très heureux de vous voir, lui dit le vieil homme. Ainsi, vous êtes le fils d'Eb?

Stephen Farr s'arracha un sourire.

– Père m'a toujours dit de vous rendre visite si je venais en Angleterre. C'est la première fois que je le fais.

– Parfait! (Le vieux Simeon regarda autour de lui.) Je vous présente ma petite-fille, Pilar Estravados.

– Bonjour, monsieur, dit Pilar de l'air le plus naturel.

« Quelle comédienne! se dit Stephen, plein d'admiration. Elle a été surprise de me voir, mais elle ne l'a laissé paraître que l'instant d'un éclair. »

– Très heureux de faire votre connaissance, miss Estravados, prononça-t-il gauchement.

– Merci, dit Pilar.

– Asseyez-vous, dit Simeon Lee au visiteur. Parlez-moi de vous. Etes-vous en Angleterre pour long-temps?

– Oh! rien ne me presse de retourner là-bas.

– Fort bien! déclara Simeon Lee. Il faut que vous passiez quelque temps avec nous.

– Oh! monsieur, je ne voudrais pas m'imposer ainsi. On est seulement à deux jours de Noël.

– Vous passerez la Noël avec nous... à moins que vous n'ayez d'autres projets en tête.

– Ma foi, non. Mais cela me gêne...

– Voilà qui est réglé, dit Simeon. Pilar?

– Oui, grand-père.

– Va dire à Lydia que nous avons un autre invité. Demande-lui de monter me voir.

Pilar quitta la chambre. Stephen la suivit des yeux. Le vieillard enregistra ce détail avec amusement.

– Vous arrivez tout droit d'Afrique du Sud, jeune homme?

– Ma foi, oui.

Et ils se mirent à parler de ce pays ensoleillé.

Au bout de quelques minutes, Lydia parut.

– Je vous présente Stephen Farr, lui dit Simeon. Stephen est le fils de mon vieil ami et associé Ebnezer Farr. Il passera la Noël avec nous, si vous pouvez lui donner une chambre.

Lydia sourit.

– Certainement.

Elle étudia l'inconnu, son visage bronzé, ses yeux bleus.

– Ma belle-fille, annonça Stephen à son visiteur.

– Vous me voyez confus de m'introduire chez vous en pleine réunion de famille.

– Vous êtes des nôtres, mon garçon, lui dit Simeon. Considérez-vous comme de la famille.

– Vous êtes trop bon, monsieur.

Pilar revint dans la chambre. Elle s'assit à côté de la cheminée et reprit son petit écran à la main. Elle s'en servait comme d'un éventail, faisant gracieusement mouvoir son poignet. L'air modeste, elle baissait les yeux.

TROISIÈME PARTIE

24 DÉCEMBRE

I

— Père, désires-tu réellement que je vive ici? demanda Harry. Je vais jeter le trouble dans cette maisonnée.

— Que veux-tu dire? demanda Simeon d'un ton sec.

— Alfred voit la chose d'un mauvais œil.

— Tant pis! Ne suis-je pas le maître chez moi!

— Bien sûr! mais il me semble que vous dépendez un peu d'Alfred, père. Je ne voudrais pas bouleverser...

— Tu feras comme je te l'ordonne, lança son père.

Harry étouffa un bâillement.

— Je ne me sens pas la force de mener une vie sédentaire, déclara-t-il enfin. Un homme qui a roulé sa bosse s'ennuie s'il reste longtemps dans le même endroit.

— Tu ferais mieux de te marier et de fonder un foyer, lui conseilla son père.

— Qui épouserais-je? Dommage qu'on ne puisse prendre pour femme sa propre nièce. Cette jeune Pilar est diablement séduisante... A propos de mariage, le gros George a su choisir, en ce qui concerne le physique. D'où vient cette beauté?

Simeon haussa les épaules.

— Comment le saurais-je? George l'a remarquée à un défilé de mannequins. Elle prétend que son père était un officier de marine en retraite.

– Probablement lieutenant sur un caboteur. George aura des ennuis s'il ne la surveille pas de près.

– George est un imbécile, dit Simeon Lee.

– Pourquoi l'a-t-elle épousé?... Pour son argent?

Simeon haussa les épaules.

– Eh bien, père, penses-tu pouvoir faire accepter ma présence ici par Alfred?

– Nous allons régler ce point tout de suite.

Le vieillard toucha une clochette posée sur la table à côté de lui. Horbury apparut aussitôt. Son maître lui dit :

– Priez Mr Alfred de venir ici.

Horbury sortit.

– Cet individu écoute aux portes! murmura Harry.

– Probablement.

Alfred entra précipitamment. Ses traits s'assombrirent lorsqu'il vit son frère.

– Tu m'as demandé, père?

– Oui. Assieds-toi. Je songe à réorganiser un peu notre train de vie maintenant que nous avons ici deux personnes de plus.

– Deux?

– Pilar vivra désormais sous notre toit. Et Harry est rentré pour de bon à la maison.

– Harry va vivre avec nous? dit Alfred.

– Pourquoi pas, mon vieux? lui dit Harry.

Alfred se tourna brusquement vers lui.

– Tu devrais le savoir!

– Je regrette, mais je ne comprends pas...

– Après tout ce qui est arrivé... la façon dont tu t'es conduit... le scandale... Quand je pense à ce que père a fait pour toi et la façon dont tu l'en as remercié...

– Ecoute, Alfred. Il me semble que cela regarde père, et non toi. S'il veut pardonner et oublier...

– Je le veux, dit Simeon. Harry est mon fils, après tout.

– Oui, dit Alfred, mais il s'est mal comporté envers toi, père.

– Harry demeurera ici. J'ai dit! J'aime beaucoup Harry, ajouta-t-il en posant doucement la main sur l'épaule de son fils aîné.

Alfred, blafard, se leva et quitta la pièce. Harry se leva également et sortit après lui, en riant.

Simeon ricanait tout seul. Soudain, il sursauta et regarda autour de lui.

– Qui est là? Oh! c'est vous, Horbury? On ne sait jamais quand vous êtes là.

– Je demande pardon à monsieur...

– Cela n'a pas d'importance. Ecoutez-moi. J'ai des ordres à vous donner. Je désire que tout le monde vienne ici après le déjeuner... tout le monde, vous entendez?

– Bien, monsieur.

– Autre chose. Vous les accompagnerez quand ils monteront. Et quand vous arriverez à mi-chemin dans le couloir, élevez la voix de façon que je vous entende. Dites n'importe quoi. C'est compris?

– Oui, monsieur.

Horbury descendit à l'office. Il dit à Tressilian :

– Si vous voulez savoir, je crois que nous allons avoir un drôle de Noël.

– Que dites-vous? demanda sèchement le maître d'hôtel.

– Attendez et vous verrez, Mr Tressilian. Nous sommes aujourd'hui à la veille de Noël et les gens de cette maison n'ont pas du tout l'esprit à la réjouissance. C'est moi qui vous le dis!

II

Arrivés à la chambre du père, ils s'arrêtèrent sur le seuil.

Simeon parlait au téléphone. D'un signe de la main, il les invita à entrer.

– Asseyez-vous, leur dit-il. J'en ai pour une minute.

Il continua sa conversation téléphonique :

– C'est vous, Charlton? Oui... Non, je voulais vous demander de changer la teneur de mon testament. Oui, il y a quelque temps que j'ai rédigé l'autre... Les circonstances m'obligent à le modifier... Oh! non, cela ne presse pas. Je ne veux pas vous déranger pendant les fêtes de Noël. Mettons pour le début de janvier. Venez ici le 2 et je vous indiquerai les modifications que je désire. Non, tout ira bien ainsi. Je ne vais pas mourir tout de suite.

Il raccrocha, puis considéra les huit membres de sa famille. D'un ton sarcastique, il dit :

– Vous avez l'air maussade. Qu'y a-t-il donc?

– Vous nous avez demandés, balbutia Alfred.

– Oh! Mais je n'ai rien de grave à vous apprendre. Avez-vous cru qu'il s'agissait d'un conseil de famille? Non, je voulais simplement vous dire que je me sentais un peu fatigué aujourd'hui. Qu'aucun de vous ne monte me voir après dîner. J'ai envie de me coucher de très bonne heure afin d'être dispos pour le jour de Noël.

Il leur adressa un sourire ambigu.

– C'est entendu, père, lui dit George.

– Cette bonne vieille tradition de Noël réveille en nous des sentiments de solidarité familiale, n'est-ce pas, ma chère Magdalene?

Ainsi interpellée par son beau-père, Magdalene Lee sursauta. Sa petite bouche, un peu sotte, s'ouvrit et puis se referma.

– Oh!... oh oui! dit-elle.

Simeon s'adressait encore à Magdalene :

– Voyons, vous viviez avec un officier en retraite... (une pause.)... votre père. Vous ne deviez pas beaucoup vous divertir pour la Noël. Il faut une grande famille pour goûter ces fêtes.

– Ma foi... ma foi... peut-être.

A présent, Simeon s'adressait au mari de Magdalene :

– Cela me contrarie de parler de choses ennuyeuses à cette époque de l'année, mais, tu sais, George, je me vois obligé de diminuer légèrement la rente que je te sers. A l'avenir, les dépenses de ma maison vont se trouver un peu accrues.

George devint très rouge :

– Mais, voyons, père, tu ne peux faire une chose pareille!

– Nous le verrons bien, répliqua le vieillard, d'une voix doucereuse.

– Mes dépenses dépassent déjà mon budget et je ne sais comment joindre les deux bouts. Pour y arriver je réduis mon train de vie au strict minimum.

– Que Magdalene s'ingénie à réaliser des économies. Les bonnes maîtresses de maison se montrent ingénieuses et savent tirer parti de tout. Une femme habile peut faire ses robes. Je me souviens que votre mère cousait à la perfection. C'était une femme très adroite... et très bonne... mais bornée...

David se leva d'un bond.

– Assieds-toi, mon garçon, lui dit son père, tu vas renverser ce vase de Chine...

– Ma mère..., balbutia David.

– Ta mère était bête comme une oie. Et je crois que ses enfants ont hérité de sa sottise. (Soudain le vieillard se leva, les pommettes rouges, et il ajouta d'une voix stridente :) Tous, tant que vous êtes, vous ne valez rien. Vous me dégoûtez! Vous êtes des êtres faibles, sans caractère. A elle seule, Pilar vaut deux d'entre vous! Je possède sûrement de par le monde des bâtards plus dignes de moi que n'importe lequel de mes enfants légitimes.

– Père! mesure tes paroles! s'écria Harry qui bondit

en avant, une expression sévère sur sa figure d'ordinaire si joviale.

— Ce que je dis s'applique aussi bien à toi! lui lança le vieillard. Qu'as-tu fait de bon? De tous les coins du globe tu m'as envoyé des lettres pour me mendier de l'argent! J'en ai assez de vous tous! Sortez!

Un peu hors d'haleine, le vieux Simeon se rassit dans son fauteuil.

Lentement, l'un après l'autre, les membres de la famille quittèrent la chambre. George était rouge et indigné, Magdalene paraissait effrayée. David, tout pâle, tremblait. Harry gagna la porte d'un air arrogant, tandis qu'Alfred marchait comme un somnambule. Lydia suivait son mari, la tête haute.

Seule, Hilda s'arrêta avant de franchir le seuil et revint en arrière.

Elle s'approcha de son beau-père qui semblait dormir. Lorsqu'il rouvrit les yeux, il la regarda, étonné. Il pressentit une menace dans la présence de cette forte femme, immobile à son côté.

— Qu'y a-t-il? lui demanda-t-il, d'un ton irrité.

— Lorsque nous avons reçu votre lettre, commença Hilda, je croyais à votre sincérité... et je m'imaginais que vous auriez été heureux de voir vos enfants réunis autour de vous pour la fête de Noël. Alors j'ai persuadé David d'accepter votre invitation.

— Eh bien?

— Vous désiriez, en effet, votre famille autour de vous, mais pour semer la brouille entre vos enfants. Si cela vous amuse, je vous plains!

— J'ai toujours eu un sens spécial de la plaisanterie, ricana Simeon. Je ne m'attends pas à ce que les autres l'apprécient. Toujours est-il que moi, je m'amuse follement.

Elle se tut. Une vague appréhension envahit l'âme de Simeon. Il lui demanda d'une voix tranchante :

— A quoi pensez-vous?

— J'ai peur..., prononça-t-elle lentement.

– De moi?

– Pas de vous... mais pour vous!

Tel un juge qui vient de proclamer une sentence, elle s'éloigna d'un pas lent et pesant, elle quitta la pièce.

Simeon regarda fixement la porte. Puis il se leva et se dirigea vers son coffre-fort.

– Je vais jeter un coup d'œil à mes chers bijoux, murmura-t-il.

III

Vers 8 heures moins le quart, la sonnette de la porte d'entrée retentit. Tressilian alla ouvrir. Puis il revint à l'office où il trouva Horbury en train d'étudier la marque des tasses à café posées sur le plateau.

– Qui était-ce? demanda Horbury.

– Le superintendant de la police du Middleshire, Mr Sugden... Attention à ce que vous faites!

Horbury venait de laisser échapper une tasse qui se brisa avec fracas.

– Une tasse de cassée! soupira Mr Tressilian. Voilà onze ans que je lave ce service et je n'en ai pas cassé une. Vous vous mêlez de choses qui ne vous regardent pas... et voyez ce qui arrive!

– Je regrette beaucoup, Mr Tressilian, s'excusa l'autre. Je ne sais comment cela s'est produit. Vous dites qu'un superintendant est venu?

– Oui... Mr Sugden.

Le valet de chambre passa sa langue sur ses lèvres.

– Que... que venait-il faire ici?

– Quêter pour l'orphelinat de la police.

– Oh!

Le valet de chambre redressa les épaules. D'un ton plus naturel, il interrogea le vieux Tressilian.

– Lui a-t-on donné quelque chose?

– J'ai porté le registre au vieux Mr Lee, et il m'a dit de faire monter le superintendant et de mettre le sherry sur la table.

– On ne voit que des quêteurs à cette époque de l'année, observa Horbury. Le vieux a bien des défauts, mais on ne peut l'accuser d'avarice.

– Mr Lee a toujours eu le cœur sur la main, déclara Tressilian d'un air digne.

– Oui, il faut le reconnaître, concéda Horbury. Au fait, je dois sortir.

– Vous allez au cinéma?

– Peut-être. A tout à l'heure, Mr Tressilian!

Tressilian consulta la pendule, se rendit à la salle à manger fourrer les petits pains dans les serviettes, puis, s'étant assuré que tout était en ordre, frappa plusieurs coups sur le gong du vestibule.

A ce moment, le superintendant descendait l'escalier. Sugden était un bel homme, conscient de son importance. Il s'adressa à Tressilian, d'un ton affable :

– Je crois qu'il va geler, cette nuit. Tant mieux! Nous n'avons pas encore eu d'hiver cette année.

– Par temps humide, mes rhumatismes me font souffrir, gémit le vieux maître d'hôtel.

Le superintendant convint que c'était là un mal bien pénible; et Tressilian l'accompagna jusqu'à la porte. Après le départ de Sugden, il remit le verrou et retourna dans le vestibule.

Le vieux maître d'hôtel, un peu las, poussa un soupir. Puis il se redressa en voyant Lydia entrer dans le salon. George Lee descendait l'escalier.

Lorsque la dernière invitée, Magdalene, eut rejoint les autres au salon, Tressilian apparut sur le seuil et annonça :

– Le dîner est servi!

A sa façon, Tressilian était un connaisseur en toilettes féminines. Tout en faisant le tour de la table, carafe en main, il ne manquait pas de regarder les robes des dames et de faire, à part lui, ses petites critiques.

Il remarqua la nouvelle robe de Mrs Alfred, en taffetas blanc et noir. Peu de personnes auraient pu arborer une toilette au dessin floral aussi audacieux, mais Mrs Alfred la portait à ravir. La robe de Mrs George était sûrement un modèle très coûteux. Tressilian aurait voulu voir la tête de Mr George au moment de régler la facture! Jamais Mr George n'avait aimé la dépense. Quant à Mrs David... cette brave personne ne savait pas s'habiller. Etant donné sa corpulence, elle aurait dû se vêtir de noir, or elle avait choisi du velours cramoisi. Miss Pilar, avec sa taille souple et ses cheveux noirs, pouvait porter n'importe quoi. Sa toilette n'avait pas dû lui coûter bien cher, mais Mr Lee allait veiller à cela. Il adorait déjà la petite. Quand un monsieur prend de l'âge, il se laisse facilement attendrir par la jeunesse.

– Vin du Rhin ou bordeaux? murmura respectueusement Tressilian à l'oreille de Mr George.

Du coin de l'œil, le vieux maître d'hôtel remarqua que Walter, le valet de pied, tendait les légumes avant la sauce... alors qu'il lui avait si souvent fait la leçon!

Tressilian passa le soufflé à la ronde. A présent qu'il avait fini de s'intéresser à la toilette des dames et aux bévues de Walter, le vieux maître d'hôtel observa que, ce soir, la tablée était silencieuse... Pas tout à fait cependant : à lui seul, Mr Harry parlait pour vingt... Non, ce n'était pas Mr Harry mais le jeune visiteur arrivé d'Afrique du Sud. Les autres disaient bien quelques mots de temps à autre, mais ils paraissaient bizarres.

Mr Alfred, par exemple, avait l'air malade, comme s'il avait reçu une commotion. A peine s'il touchait à la nourriture. Et sa femme s'inquiétait de le voir ainsi : Tressilian le devinait. Mrs Alfred jetait de temps à autre un coup d'œil vers son mari à l'autre bout de la table. Mr George, les joues enflammées, engloutissait les mets sans les déguster. Un jour ou l'autre il aurait une attaque, s'il ne prenait garde. Mrs George, elle, ne mangeait pas; elle faisait semblant. Miss Pilar montrait un bel appétit et bavardait en riant avec le jeune monsieur d'Afrique du Sud. Lui, semblait tout à fait heureux. Ces deux-là paraissaient n'avoir aucun souci!

L'attitude de Mr David chagrinait particulièrement Tressilian. Comme il ressemblait à sa mère! Il paraissait encore incroyablement jeune. Mais qu'il était nerveux! Là! il venait de renverser son verre.

Tressilian escamota le verre brisé et répara le méfait sur la nappe. Mr David s'était à peine rendu compte de sa maladresse. Le visage blême, il regardait droit devant lui.

Cette pâleur du visage de David rappela à Tressilian le changement survenu sur les traits de Horbury à l'office, lorsqu'il apprit qu'un policier était entré dans la maison... comme si...

Tressilian chassa cette idée de son esprit. Walter venait de laisser tomber une poire du plat qu'il tenait. Les valets de pied n'étaient plus bons à rien! Ils étaient tout juste assez adroits pour faire des garçons d'écurie.

Tressilian servit le porto. Ce soir, Mr Harry ne semblait pas dans son assiette. Il ne quittait pas des yeux Mr Alfred. Ah! ces deux-là ne s'étaient jamais aimés. Naturellement, Mr Harry avait toujours été le chouchou du père, Mr Alfred lui en gardait rancune. Mr Lee n'avait jamais eu beaucoup d'affection pour son fils Alfred, alors que celui-ci était si dévoué. C'était vraiment dommage!

A présent, Mrs Alfred se levait de table. Que c'était donc joli ce dessin noir sur le taffetas blanc! Et quelle démarche gracieuse!

Après avoir fermé la porte de la salle à manger où les messieurs buvaient leur porto, le maître d'hôtel porta le café au salon sur un plateau. Les quatre dames y étaient assises. L'air gêné, elles ne parlaient pas. Tressilian leur servit le café.

Au moment où il regagnait son office, il entendit ouvrir la porte de la salle à manger. David Lee en sortit et traversa le vestibule pour entrer au salon.

A l'office, Tressilian gronda Walter qui lui répondit d'un ton presque impertinent et le laissa seul.

IV

Tressilian se sentait en proie à une vague de tristesse. On était à la veille de Noël et les invités ne paraissaient nullement joyeux... Cela ne lui plaisait guère. Il se leva péniblement et se rendit au salon pour enlever les tasses. Lydia, restée seule, se tenait près de la fenêtre, à demi cachée par le rideau, et contemplait la nuit... Dans la pièce à côté, on jouait du piano.

« Mais pourquoi, se demanda Tressilian, pourquoi Mr David joue-t-il la *Marche funèbre*? Décidément, ce soir, tout va de travers. »

D'un pas lent, il regagna le vestibule, puis son office. A peine en avait-il refermé la porte, qu'il entendit un vacarme épouvantable à l'étage au-dessus : un fracas de porcelaine brisée et de meubles renversés.

« Mon Dieu! se dit Tressilian, que fait notre maître? Que se passe-t-il là-haut? »

C'est alors que s'éleva un cri aigu... une plainte horrible qui se termina par un gémissement étouffé.

Tressilian demeura un instant paralysé, puis il sortit dans le vestibule et, aussi vite qu'il put, monta le grand escalier suivi par d'autres personnes, car le cri avait été entendu de tous les coins de la maison.

Au haut de l'escalier, tous empruntèrent le couloir qui tournait à angle droit, passèrent devant un renfoncement où des statues blanches jetaient un reflet fantomatique et prirent le passage menant à la porte de Simeon Lee.

Mr Farr et Mrs David se trouvaient déjà là. Elle s'appuyait contre le mur, tandis que le jeune homme essayait d'ouvrir la porte.

– C'est fermé à clef, disait-il, c'est fermé à clef!

Harry Lee l'écarta et saisit à son tour la poignée.

– Père! cria-t-il. Père, ouvre-nous!

Il leva la main et, dans le silence, tous prêtèrent l'oreille. Pas de réponse. Aucun bruit ne filtrait de l'intérieur.

En bas, la sonnette de la porte d'entrée retentit, mais personne n'y prêta attention.

– Il faut enfoncer cette porte, déclara Stephen Farr.

– Ce sera difficile. Elle est solide, remarqua Harry. Viens m'aider, Alfred.

Ils saisirent un banc de chêne et s'en servirent comme d'un bélier. La porte céda, se détacha de son chambranle et s'abattit à l'intérieur de la pièce.

Pendant un moment, tous demeurèrent serrés l'un contre l'autre devant le spectacle affreux qui s'offrait à leurs yeux épouvantés...

Le lourd mobilier était renversé. Les vases de porcelaine, brisés, jonchaient le plancher et, devant le foyer, sur la carpette, Simeon Lee gisait au milieu d'une mare de sang. Partout du sang, une vraie scène de boucherie...

On entendit un long soupir, puis deux voix s'élevèrent l'une après l'autre, et, chose curieuse, toutes deux prononcèrent des citations.

– Les meules de Dieu broient lentement... dit David Lee.

Et Lydia murmura doucement :

– Qui eût cru que le vieillard avait en lui tant de sang?

En bas, à la porte d'entrée, le superintendant Sugden

avait, par trois fois, tiré sur la sonnette. De guerre lasse, il frappa avec le marteau de la porte.

L'air effaré, le valet de pied, Walter, vint lui ouvrir.

— Oh! fit-il, une expression de soulagement sur les traits en reconnaissant le visiteur. J'allais justement téléphoner à la police.

— Pourquoi? demanda vivement Sugden. Que se passe-t-il?

— C'est le vieux Mr Lee, murmura Walter. On l'a tué...

Repoussant le domestique, le superintendant se précipita vers l'escalier. Il pénétra dans la chambre du vieux Lee, sans que personne n'y prît garde. Il aperçut Pilar qui se baissait pour ramasser un objet à terre et remarqua David Lee la main devant les yeux. Alfred Lee, se détachant du groupe formé par les membres de la famille, se rapprocha du cadavre de son père. Le visage blême, il le considéra longuement.

— Rien ne doit être dérangé, déclarait George, d'un ton d'importance. Prenez garde de ne rien toucher avant la venue de la police.

— Excusez-moi, dit Sugden en écartant doucement les femmes.

Alfred Lee le reconnut.

— Ah! fit-il. C'est vous le chef de police Sugden. Vous êtes arrivé bien vite.

— En effet, Mr Lee. (Le superintendant ne s'attarda pas en explications oiseuses :) Que signifie tout ceci?

— Mon père a été tué, dit Alfred Lee, assassiné...

Sa voix se brisa.

Magdalene éclata soudain en sanglots.

Le superintendant Sugden leva la main en un geste large et ordonna, de son ton le plus officiel :

— Que tout le monde quitte la chambre, à l'exception de Mr... euh... Mr George Lee.

A contrecœur, tous se dirigèrent vers la porte.

Soudain, le superintendant Sugden se plaça devant Pilar.

– Pardon, mademoiselle, lui dit-il avec courtoisie, rien ne doit être touché ni dérangé dans cette pièce.

Elle le toisa, hautaine.

– Evidemment! Elle le sait! intervint Stephen Farr.

– Mademoiselle vient de ramasser quelque chose sur le plancher, expliqua le superintendant sans perdre son flegme.

– Moi? fit Pilar, l'air interloqué.

D'une voix un peu plus ferme, mais toujours le sourire aux lèvres, Sugden insista :

– Oui, mademoiselle, je vous ai vue...

– Oh!

– Donnez-moi ce que vous tenez en ce moment.

A regret, Pilar ouvrit la main, montrant, sur sa paume, un bout de caoutchouc et un petit objet en bois. Sugden les prit et les enferma dans une enveloppe qu'il glissa dans la poche intérieure de son veston.

– Merci, fit-il – et il se retourna vers George Lee.

Pendant un instant, les yeux de Stephen Farr trahirent la surprise et l'admiration. Il avait sous-estimé ce policier au beau visage viril et à la forte carrure.

Tous, à l'exception du policier et de George Lee, quittèrent la chambre tragique, et ils entendirent Sugden prononcer de sa voix froide et officielle :

– Eh bien, monsieur, je vous prierai de me dire...

V

– Pour moi, rien ne vaut un bon feu, dit le colonel Johnson en ajoutant une bûche et en rapprochant son fauteuil de la cheminée. Servez-vous, ajouta-t-il aimablement, attirant l'attention de son hôte sur le coffret à liqueurs posé à côté d'eux sur une petite table.

L'invité refusa poliment d'un geste de la main. Il

approcha prudemment son siège du brasier, tout en se disant que le fait de se rôtir les pieds – comme dans certaine torture du Moyen Age – ne le préservait pas du courant d'air qui lui tombait sur les épaules.

Libre au colonel Johnson, chef de la police du Middleshire, de préférer le feu de bois; quant à lui, Hercule Poirot, il estimait que rien n'égalait le chauffage central.

– Un cas intéressant, cette affaire Cartwright, remarqua le colonel. Le criminel était vraiment un homme étonnant! Il possédait un charme indubitable. Lorsqu'il est venu ici avec vous, nous lui aurions donné le bon dieu sans confession. C'est un cas qui ne se reproduira pas de sitôt, Dieu merci! Les empoisonnements par la nicotine sont fort rares.

– Il fut un temps où vous auriez juré qu'un Anglais ne pouvait commettre un empoisonnement, suggéra Poirot. L'empoisonnement... un crime bon pour des étrangers et indigne d'un sportsman!

– C'est à peine croyable! soupira le chef de la police. Nombreux sont les empoisonnements par l'arsenic... bien plus nombreux qu'on ne le soupçonne...

– Oui, c'est possible!

– Un empoisonnement offre un tas de complications pour la police, remarqua Johnson. Les témoignages des experts se contredisent souvent et les médecins se montrent d'une circonspection inouïe. Il est excessivement pénible de présenter ce genre de crime aux jurés. Si on doit s'occuper d'un meurtre – Dieu nous en préserve! –, du moins que ce soit une affaire où l'on discerne aisément la cause de la mort.

» Une balle dans la peau, une entaille au cou ou le crâne défoncé. Voilà où vont nos préférences. Mais, n'allez pas vous imaginer que je me délecte dans les histoires de meurtre. Plaise à Dieu que je n'en revoie jamais! J'espère du moins que nous serons tranquilles pendant votre séjour chez moi.

– Ma réputation..., préluda Poirot, toujours modeste.

Mais déjà Johnson reprenait :

– C'est Noël... l'époque bénie où règnent la paix et le pardon des injures. Chacun doit aimer son semblable en ces jours de fête!

Hercule Poirot se renversa dans son fauteuil, joignit les doigts et considéra pensivement son hôte.

– Alors, murmura-t-il, vous pensez que Noël est une saison peu favorable au crime?... Pourquoi?

– Ma foi, déclara Johnson, légèrement décontenancé, parce que c'est un temps béni de réjouissances et de bonne volonté.

– Ces Anglais! Quel peuple sentimental!

– Qu'y a-t-il de mal à cela? rétorqua Johnson avec véhémence. Pourquoi ne conserverions-nous pas les vieilles traditions? Quel mal y voyez-vous?

– Aucun, je trouve même cela très charmant! Mais examinons plutôt les faits. Vous dites que Noël est une époque de réjouissances et de belle humeur. Cela signifie qu'on mange et qu'on boit plus que de coutume! Trop manger entraîne des indigestions! Et l'indigestion rend certaines gens irritables!

– Les crimes, observa le colonel Johnson, ne proviennent pas de l'irritabilité.

– Vous ajoutez encore que la Noël est une époque où règnent la bonne entente et le pardon des injures. Rien de mieux. On oublie les vieilles querelles, on se montre conciliant, ne fût-ce que pour un temps.

– C'est tout à fait cela, acquiesça Johnson. On fait la paix.

– A l'occasion de ces fêtes, ajouta Poirot poursuivant son idée, les familles désunies se réconcilient et se rassemblent. Dans ces conditions, mon ami, il existe une certaine gêne entre ceux qui, la veille, se trouvaient divisés. Les gens les moins aimables s'efforcent de paraître affables. Donc, pendant les fêtes de Noël, il se déploie une énorme dose d'hypocrisie... pour le bon motif, je veux bien l'admettre... mais tout de même d'hypocrisie!

– Je n'appellerais pas cela ainsi, murmura le colonel.

– Non, bien sûr. (Poirot, le visage radieux, regardait son interlocuteur :) C'est moi qui désigne la chose sous ce nom et pas vous! Je voudrais cependant vous faire comprendre que, dans ces conditions de contrainte morale et de malaise physique, les malentendus, qui jusque-là n'étaient que bénins, peuvent prendre soudain un caractère aigu. A vouloir se faire passer pour plus aimable qu'on ne l'est en réalité, on finit, tôt ou tard, par se rendre plus déplaisant que nature. On veut contenir ses penchants, mais bientôt la digue éclate et le désastre se produit.

Le colonel considéra son hôte d'un air perplexe :

– Je ne sais jamais si vous parlez sérieusement, ou si vous vous moquez de moi, grogna-t-il.

– Je ne parle pas sérieusement, dit Poirot en souriant. Pas le moins du monde! Cependant, il est patent que des conditions artificielles amènent des réactions naturelles.

Le domestique du colonel entra dans la pièce :

– Le superintendant Sugden vous demande au téléphone, monsieur.

– Bien, j'y vais.

Avec un mot d'excuse, le chef de la police quitta le salon. Quand il revint, au bout de quelques minutes, il avait perdu sa belle sérénité.

– Diable de métier! s'écria-t-il. Un meurtre... la veille de Noël!

Poirot leva les sourcils.

– Est-ce bien réellement... un meurtre?

– Oh! oui, il n'y a aucun doute. Un meurtre affreux.

– Qui est la victime?

– Le vieux Siméon Lee. Un des hommes les plus riches de la région. Il a fait sa fortune en Afrique du

Sud. Dans les mines d'or... ou de diamants! Il a monté ici une fabrique d'outillage minier... de sa propre invention, paraît-il. On le dit plusieurs fois millionnaire.

– Etait-il marié?

Johnson réfléchit avant de répondre :

– Je ne crois pas, c'était un drôle de personnage. Depuis plusieurs années, il gardait la chambre. Personnellement, il ne me plaisait guère. C'était tout de même quelqu'un dans le pays.

– Cette affaire fera donc beaucoup de bruit?

– Oui. Il faut que je me rende à Langsdale, tout de suite.

Il hésita et regarda son invité. Poirot devina sa question non formulée :

– Vous voudriez que je vous accompagne?

– Cela m'ennuie de vous le demander, balbutia son hôte, embarrassé. Mais... Oh! le superintendant Sugden est un garçon très sérieux, et sur lequel on peut compter... toutefois, il manque d'imagination. Comme vous êtes ici, j'aimerais profiter de vos conseils.

Vivement, Poirot répondit :

– Ce sera avec plaisir. Comptez sur moi pour vous aider de mon mieux. Nous devons cependant ménager l'amour-propre de ce brave superintendant; il s'occupera officiellement de l'affaire... Moi, je serai seulement là pour vous offrir mon avis.

– Vous êtes un brave type, Poirot, déclara le colonel.

Sur ce, les deux hommes se mirent en route.

VI

Un policier vint ouvrir la porte d'entrée et salua les deux arrivants. Le superintendant les reçut dans le vestibule.

– Heureux de vous voir, monsieur, dit-il à son

supérieur. Voulez-vous entrer dans le bureau de Mr Lee ? Je vous expliquerai l'affaire dans ses grandes lignes. C'est une histoire peu ordinaire.

Il introduisit les deux hommes dans une petite pièce à gauche du vestibule. Un appareil téléphonique était posé sur un grand bureau. Aux murs couraient des étagères garnies de livres.

– Sugden, dit le colonel, je vous présente M. Hercule Poirot. Vous le connaissez sans doute de réputation. Il se trouvait chez moi quand m'est parvenu votre appel.

Poirot salua le superintendant, homme de belle prestance, aux épaules carrées et à l'air martial, doté d'un nez aquilin, d'une mâchoire forte et d'une magnifique moustache châtain clair. Les yeux d'Hercule Poirot demeuraient rivés sur la moustache du superintendant.

– J'ai naturellement entendu parler de vous, monsieur Poirot, dit Sugden. Si j'ai bonne mémoire, vous vous trouviez dans la région, il y a quelques années... à l'époque de la mort de sir Bartholome Strange, empoisonné par la nicotine. Ce n'était pas dans mon district, mais j'ai bien suivi l'affaire.

Impatient, le colonel Johnson ramena son subordonné à la minute présente :

– Voyons, Sugden, de quoi s'agit-il ? Un meurtre, dites-vous ?

– Oui, monsieur, cela ne fait aucun doute. Le cou de Mr Lee a été tranché... la veine jugulaire coupée net, a déclaré le médecin. Mais toute cette affaire paraît bien singulière.

– Comment ?

– Je voudrais d'abord vous dire ce que je sais, monsieur. Cet après-midi, vers 5 heures, Mr Lee m'a téléphoné. Sa voix me paraissait bizarre. Il me demandait de venir le voir vers 8 heures du soir... et me priait de dire au domestique qui viendrait m'ouvrir que je faisais une collecte pour une œuvre charitable de la police.

– En somme, il cherchait un prétexte pour vous introduire dans la maison.

– C'est bien cela, monsieur. Mr Lee étant un des notables du pays, j'accédai à son désir. Je me présentai ici, un peu avant 8 heures, et expliquai au maître d'hôtel qu'il s'agissait d'une souscription en faveur de l'orphelinat de la police. Le domestique me fit attendre un moment, puis revint me dire que Mr Lee voulait me voir. La-dessus, il me conduisit à la chambre de son maître, qui se trouve au premier étage, juste au-dessus de la salle à manger.

Sugden poussa un soupir, puis reprit d'un ton officiel :

– Mr Lee était près du feu. Il portait une robe de chambre. Quand le domestique eut refermé la porte, Mr Lee m'invita à m'asseoir près de lui. Il m'expliqua d'un air quelque peu embarrassé qu'il voulait me donner certains détails sur un vol dont il avait été victime. Je lui demandai ce qu'on lui avait pris. Il me dit alors que des diamants – des diamants bruts, je crois – pour une valeur de plusieurs milliers de livres avaient disparu de son coffre-fort.

– Des diamants? fit le chef de la police.

– Oui, monsieur. Je lui posai les questions habituelles, mais ses réponses demeuraient vagues et ses manières hésitantes. Enfin, il me dit :

» – Comprenez-moi bien, Mr Sugden, je puis me tromper.

» – Je ne vous comprends pas du tout, monsieur, répliquai-je. Ou on vous les a volés, ou ils n'ont pas disparu... c'est l'un ou l'autre!

» – Les diamants ont bel et bien disparu, me répondit-il, mais il est possible qu'on me les ait enlevés pour me faire une farce stupide.

» Cette idée me parut bizarre, cependant, je me tus et il poursuivit :

» – Je ne puis entrer dans les détails. Deux personnes seulement peuvent être en possession de mes diamants. L'une d'elles ne les aurait pris que par manière de plaisanterie, mais si c'est l'autre, elle les a réellement volés.

» – Que voulez-vous exactement que je fasse, monsieur? lui demandai-je.

» – Je voudrais que vous reveniez ici dans une heure, me répondit-il. Vers 9 heures et quart. A ce moment-là, je serai en mesure de vous dire si oui ou non on m'a volé.

» Fort perplexe, je lui promis de revenir et m'éclipsai.

– Voilà qui est curieux, commenta le colonel Johnson. Qu'en dites-vous, Poirot?

– Pourrais-je vous demander, monsieur le superintendant, quelles sont vos déductions?

Sugden se caressa la mâchoire et répondit avec prudence :

– Plusieurs idées se sont présentées à mon esprit. A la réflexion, il ne peut être question d'une farce : les diamants ont été réellement volés. Le vieux monsieur ne savait pas au juste qui était le coupable. Deux personnes avaient pu commettre ce vol : l'une était un domestique et l'autre un membre de sa propre famille.

Poirot approuva d'un hochement de tête.

– Très bien. Cela explique tout à fait son attitude.

– ... Et son désir de me voir plus tard dans la soirée. Entre-temps, il se ménagerait une entrevue avec ceux qu'il soupçonnait. Il leur dirait qu'il avait déjà parlé de ce larcin à la police, mais qu'en cas de restitution immédiate des bijoux il passerait un coup d'éponge sur l'affaire.

– Et si le coupable n'opérait pas la restitution? fit le colonel Johnson.

– Mr Lee nous chargeait de mener l'enquête.

Le colonel fronça le sourcil et tira sur sa moustache :

– Pourquoi n'a-t-il pas eu cette entrevue avec ceux qu'il suspectait avant de vous faire appeler?

– S'il avait agi comme vous dites, monsieur, le voleur aurait pensé : « Le vieux ne fera pas intervenir la police! » Tandis que s'il a pu déclarer : « J'en ai déjà parlé à la police », alors, le voleur se renseigne auprès du maître d'hôtel qui lui répond : « Oui, Mr Sugden est venu ici juste avant dîner. » Cette fois, le cambrioleur est convaincu du danger et il rend les diamants.

– Je comprends, fit le colonel Johnson. Avez-vous une idée de l'identité du voleur?

– Non, monsieur. Et aucun indice.

– Eh bien, poursuivez votre récit, ordonna Johnson.

– Je revins donc au manoir à 9 heures et quart, reprit Sugden de son ton officiel. Au moment où j'allais sonner à la porte d'entrée, j'entendis un cri à l'intérieur de la maison, puis des bruits de voix et un branlebas général. Je sonnai plusieurs fois et frappai avec le marteau de la porte. Trois ou quatre minutes s'écoulèrent avant qu'on vînt m'ouvrir. Lorsque je vis le valet de pied, je compris qu'il se passait quelque chose d'anormal dans la maison. L'homme tremblait des pieds à la tête. Il m'apprit qu'on avait tué Mr Lee. Je grimpai l'escalier et trouvai la chambre de Mr Lee dans un désordre indescriptible. De toute évidence, il y avait eu une lutte sauvage. Mr Lee gisait dans une mare de sang devant le foyer, la gorge tranchée.

– Aurait-il pu se trancher la gorge lui-même?

– Impossible, monsieur! Du reste, tout indiquait qu'il y avait eu lutte : les chaises et les tables renversées, les porcelaines brisées... De plus, on n'a pu retrouver ni rasoir ni couteau auprès du cadavre.

– Voilà, en effet, qui est concluant, fit le colonel. N'y avait-il personne dans la chambre?

– Tous les membres de la famille se trouvaient là.

– Vous n'avez aucune idée sur l'identité du coupable? demanda le colonel d'un ton sec.

– Tout laisse à penser que c'est l'un d'eux qui a tué, soupira le superintendant. Je ne vois pas comment quelqu'un du dehors aurait pu assassiner Mr Lee et se sauver à temps.

– Mais la fenêtre? était-elle ouverte ou fermée?

– Il y a deux fenêtres à guillotine dans cette pièce, monsieur : l'une était fermée, l'autre ouverte de quelques centimètres dans le bas, un appareil de sûreté la maintenait dans cette position. J'ai moi-même essayé de l'ouvrir, mais l'appareil tient bon et n'a sûrement pas été touché depuis des années. Personne n'aurait pu s'échapper par cette issue.

– Combien de portes y a-t-il dans la chambre?

– Une seule. Cette pièce se trouve au fond d'un couloir. La porte était fermée à clef de l'intérieur. Lorsqu'ils entendirent le bruit de la lutte et le cri d'agonie du vieillard, tous se précipitèrent à l'étage et ils durent enfoncer le battant.

– Et qui se trouvait dans cette chambre?

– Personne, monsieur, répondit gravement le superintendant Sugden, sauf le vieux Mr Lee qu'on venait de tuer quelques minutes auparavant.

VII

Le colonel Johnson regarda fixement Sugden.

– Voulez-vous me faire croire qu'il s'agit d'un de ces crimes stupides comme on en rencontre dans les romans policiers? Dans un local clos, un homme est assassiné, par un être apparemment surnaturel?

Un faible sourire agita la moustache du superintendant.

– Oh non! monsieur, je ne pense pas que ce soit aussi compliqué!

– Alors, dit le colonel Johnson, c'est un suicide!

– Si Mr Lee s'était suicidé, on trouverait l'arme dont il se serait servi. Non, monsieur, l'hypothèse d'un suicide ne tient pas.

– Alors comment s'est enfui le meurtrier? Par la fenêtre?

Sugden secoua énergiquement la tête.

– Je suis prêt à jurer que non.

– Vous dites pourtant que la porte était fermée à clef de l'intérieur.

Le superintendant tira de sa poche une clef qu'il posa sur une table.

– Aucune empreinte digitale, annonça-t-il. Mais regardez bien cette clef, monsieur... Prenez cette loupe pour mieux l'étudier.

Le colonel et Poirot se penchèrent. Ensemble, ils examinèrent la clef. Johnson poussa une exclamation.

– Sacrebleu! Je commence à comprendre. Voyez-vous, Poirot, ces légères éraflures à l'extrémité de la tige?

– Parfaitement! Cela signifie que la clef a été tournée de l'extérieur... au moyen d'une pince introduite dans le trou de la serrure...

– Evidemment, acquiesça Sugden.

– Le meurtrier voulait laisser croire à un suicide.

– Cela ne fait pas l'ombre d'un doute, monsieur Poirot.

Poirot hocha la tête, incrédule.

– Et pourtant, ce désordre dans la chambre! Comme vous le disiez tout à l'heure, ces meubles renversés prouvent, au contraire, qu'il y a eu lutte. Or, s'il voulait laisser l'impression d'un suicide, le meurtrier se devait de remettre tout en ordre autour du cadavre.

– Le temps lui a manqué, expliqua Sugden. C'est là le point essentiel. Il comptait surprendre le veillard, mais les choses se sont passées autrement qu'il ne l'avait escompté... Il y a eu lutte... Ceux qui se trouvaient au rez-de-chaussée ont entendu le fracas de la bataille et Mr Lee a crié pour appeler au secours. Tous sont montés en courant et le meurtrier n'a eu que le temps de sortir de la chambre et de tourner la clef de l'extérieur.

– En effet, cela concorde bien, admit Poirot. Votre assassin a commis une erreur. Mais pourquoi n'a-t-il pas, tout au moins, laissé l'arme auprès de sa victime? Or, si on ne trouve pas l'arme, comment conclure au suicide? Quelle faute grossière!

– L'expérience nous enseigne que les assassins commettent souvent des bévues, remarqua le superintendant, placide.

– Malgré ses sottises, il nous échappe, cet assassin! soupira Poirot.

– Je ne suis pas tout à fait de votre avis.

– Vous croyez qu'il se trouve encore dans la maison?

– Il ne pourrait être ailleurs. C'est un des membres de la famille ou un domestique qui a commis le crime.

– Tout de même, murmura Poirot, jusqu'ici, il nous échappe. Vous ne savez qui c'est.

– Nous le saurons bientôt, répondit Sugden d'une voix ferme. Nous n'avons pas encore interrogé les gens de la maison.

– Un détail me laisse perplexe, Sugden, l'interrompit le colonel. Celui qui a tourné la clef de l'extérieur n'était pas un débutant. Il devait posséder une certaine expérience du crime. Ces ruses ne s'apprennent pas du premier coup.

– Vous croyez que c'est un professionnel qui aurait tué Mr Lee?

– Oui, c'est bien ce que je veux dire.

– En ce cas, dit Sugden, il y aurait parmi les domestiques un voleur professionnel, ce qui expliquerait la disparition des diamants, suivie logiquement du meurtre de Mr Lee.

– L'explication me semble plausible.

– C'est tout d'abord ce qui m'est venu à l'idée, mais j'ai dû l'abandonner en examinant les faits, dit Sugden. Il y a dans la maison huit serviteurs : six femmes, dont la moins ancienne est engagée depuis quatre ans, et deux hommes : le maître d'hôtel et le valet de pied. Le maître d'hôtel est dans la maison depuis près de quarante ans, ce qui, avouez-le, est un record. Quant au valet de pied, c'est le fils du jardinier. Je ne vois pas comment il pourrait être voleur professionnel. Le seul domestique est le valet de chambre de Mr Lee, un nouveau venu dans la maison, mais il ne se trouvait pas là au moment du crime... et il n'est pas encore rentré... Il est sorti un peu avant 8 heures.

– Avez-vous la liste exacte des personnes qui se trouvaient dans la maison au moment du meurtre? demanda le colonel Johnson.

– Oui, monsieur. Le maître d'hôtel me l'a fournie. Voulez-vous que je vous la lise? fit le chef de police, ouvrant son calepin.

– S'il vous plaît, Sugden.

– Mr et Mrs Alfred Lee. Mr George Lee, membre du Parlement, et sa femme. Mr et Mrs David Lee. Mr Harry Lee, Miss... (Le superintendant fit une pause, étudiant le nom de la jeune étrangère :) Miss Pilar Estravados. Mr Stephen Farr. Puis, viennent les serviteurs : Edward Tressilian, maître d'hôtel, Walter Champion, valet de pied, Emily Reeves, cuisinière, Quennie Jones, aide de cuisine, Gladys Spent, première femme de chambre, Grace Best, Beatrice Moscombe, femmes de chambre, Joan Kench, bonne à tout faire, Sydney Horbury, valet personnel de Mr Lee.

– Savez-vous où chacun se trouvait au moment du crime?

– A peu près. Comme je vous l'ai dit, je n'ai pas encore procédé à l'interrogatoire. D'après Tressilian, les messieurs se trouvaient dans la salle à manger et les dames au salon, où Tressilian leur avait servi le café. Il regagnait son office quand il entendit du vacarme en haut, puis un cri. Il sortit en courant dans le vestibule et monta l'escalier à la suite des autres.

— Combien de personnes de la famille habitent cette maison et qui sont les invités? demanda le colonel.

— Seuls, Mr et Mrs Alfred Lee vivent ici. Les autres sont venus pour la fête de Noël.

— Et où sont-ils à présent?

— Je leur ai demandé de rester dans le salon jusqu'à ce que je les interroge.

— Bien. Nous ferions peut-être mieux de monter jeter un coup d'œil à la chambre du crime.

Sugden, Johnson et Poirot prirent le grand escalier et suivirent le corridor du premier étage.

En pénétrant dans la chambre où se trouvait le cadavre, Johnson poussa un long soupir.

— Quelle horreur! déclara-t-il.

Pendant un instant, il considéra les chaises renversées et la porcelaine brisée, dont les débris étaient maculés de sang.

Un homme maigre, agenouillé auprès du cadavre, se releva et salua :

— Bonsoir, Johnson, dit-il. On se croirait dans un abattoir, n'est-ce pas?

— En effet! Avez-vous un renseignement à nous donner, docteur?

Le médecin haussa les épaules et fit une grimace.

— A l'audience, je tiendrai un langage plus scientifique, mais d'ores et déjà je puis vous affirmer que cette mort n'offre rien de compliqué. On a égorgé le vieux comme un cochon et il a saigné pendant dix minutes. Aucune trace de l'arme du crime.

Poirot traversa la chambre et alla vers les fenêtres. L'une d'elles était fermée et l'autre demeurait entrouverte d'une dizaine de centimètres, dans le bas, ainsi que l'avait expliqué le superintendant, au moyen d'un appareil de sûreté contre les cambrioleurs : une solide tige de fer vissée aux deux extrémités.

— D'après le maître d'hôtel, dit Sugden, cette fenêtre n'était jamais fermée, qu'il fît beau ou mauvais. Un linoléum est placé devant en cas de pluie, mais l'eau ne pénètre que rarement dans la pièce bien protégée par une avancée du toit.

Poirot approuva d'un signe de tête et revint près du cadavre qu'il considéra longuement. Les lèvres de la victime découvraient les gencives pâles et un affreux rictus. Les doigts étaient recourbés comme des serres.

— Cet homme ne me paraît pas très fort, observa Poirot.

— Je vous assure qu'il possédait un coffre solide, déclara le médecin. Il a résisté à plusieurs maladies graves qui auraient eu raison de bien des individus.

— Ce n'est pas ce que je veux dire, fit Poirot. Je ne le trouve pas d'une corpulence très forte.

— En effet, il paraît plutôt frêle.

Se détournant du cadavre, Poirot examina une des sièges renversés, un grand fauteuil en acajou. A côté se trouvaient une lourde table et les débris d'une grosse lampe en porcelaine. Non loin, on voyait deux autres fauteuils plus petits et, pêle-mêle, un presse-papier, des livres, une statuette de bronze, les débris d'un vase de Chine, d'une carafe et de deux verres.

Poirot se pencha et étudia ces objets, sans les toucher. L'air intrigué, il fronçait les sourcils.

— Quelque chose vous tourmente, Poirot? lui demanda la colonel.

Hercule Poirot soupira :

— Un homme si petit, tout recroquevillé... et... ces meubles renversés...

Johnson, également surpris, se tourna vers un policier qui travaillait dans la pièce.

— Découvrez-vous des empreintes digitales?

— Il y en a partout, monsieur.

– Et sur le coffre-fort?

– Rien, monsieur... Seulement celles de la victime.

Johnson se tourna vers le médecin.

– Et que dites-vous de tout ce sang, docteur? Le criminel doit avoir du sang sur ses vêtements.

– Pas nécessairement, répondit le médecin. La plus grande partie de ce sang vient de la veine jugulaire. Il ne jaillissait pas comme d'une artère.

– Non, non. Toutefois, il me semble que la victime a beaucoup saigné.

– En effet, dit Poirot. Je trouve qu'il a perdu beaucoup de sang.

– Est-ce que... est-ce que cela vous révèle quelque chose, monsieur Poirot? s'enquit le superintendant d'un ton respectueux.

Poirot regarda autour de lui et hocha la tête, perplexe.

– Je découvre ici... de la violence. Oui, c'est bien cela... une lutte violente... Et du sang... du sang en quantité... Comment vous expliquer... Je vois trop de sang. Du sang sur les chaises, du sang sur les tables, sur le tapis. On dirait un rite sanguinaire... un sacrifice sanglant... Ce frêle vieillard, maigre et cassé par l'âge, au corps desséché... meurt en répandant du sang à profusion...

Sa voix s'éteignit. Sugden le considéra avec des yeux ronds, effarés, et prononça d'une voix mal assurée :

– C'est drôle... la même réflexion que la dame...

– Quelle dame? demanda vivement Poirot. Qu'a-t-elle dit... cette dame?

– Mrs Lee, répondit Sugden. Mrs Alfred Lee... Debout près de la porte, elle a fait la même observation que vous. Sur le moment, je n'ai pas compris le sens de ses paroles.

– Qu'a-t-elle dit?

– Quelque chose comme ceci : « Qui aurait cru que le vieux possédait encore tant de sang. »

Poirot murmura la phrase de lady Macbeth :

– *Qui eût cru que le vieillard avait en lui tant de sang?* Elle a dit cela? Voilà qui est intéressant...

VIII

Alfred Lee et sa femme entrèrent dans le petit salon où Poirot, Sugden et le colonel Johnson attendaient debout. Ce dernier se présenta :

– Bonjour, Mr Lee. Nous ne nous sommes pas souvent rencontrés, mais, comme vous le savez peut-être, je suis chef de la police du comté. Permettez-moi de vous dire que toute cette affaire m'attriste.

– Merci, prononça Alfred, d'une voix enrouée en posant sur lui ses yeux de chien battu. C'est affreux... terrible... Je... je vous présente ma femme.

– Cette mort a causé un choc terrible à mon mari, dit Lydia au colonel de sa voix calme. C'est horrible pour nous tous... mais particulièrement pour lui.

Elle posa sa main sur l'épaule d'Alfred.

– Voulez-vous vous asseoir, Mrs Lee? lui dit le colonel Johnson. Permettez-moi de vous présenter M. Hercule Poirot.

Hercule Poirot s'inclina. Son regard curieux allait de la femme au mari.

La main de Lydia s'appuya doucement sur l'épaule de son époux.

– Assieds-toi, Alfred.

Celui-ci obéit et murmura :

– Hercule Poirot. Mais... qui... qui?

Il se passa la main sur le front.

– Alfred, le colonel Johnson désire te poser plusieurs questions.

Le chef de la police la regarda d'un œil approbateur, heureux de voir une femme aussi raisonnable.

– Naturellement, naturellement, dit Alfred.

« Ce malheur semble l'avoir bouleversé, pensa Johnson. Pourvu qu'il se remette un peu! »

— J'ai ici, dit-il tout haut, une liste des personnes présentes dans la maison au cours de la soirée. Mr Lee, voulez-vous me dire si cette liste est exacte?

Il fit un geste à Sugden qui prit son carnet et relut la liste.

Peu à peu, Alfred reprit son assurance d'homme d'affaires. Redevenu maître de lui-même, il écouta Sugden avec attention et approuva :

— C'est tout à fait exact, fit-il.

— Voudriez-vous me donner quelques renseignements sur vos invités? Mr et Mrs George Lee et Mr et Mrs David Lee sont vos parents, n'est-ce pas?

— Ce sont mes deux frères et leurs femmes... Ils sont venus pour les fêtes de Noël.

— Mr Harry Lee est aussi votre frère?

— Oui.

— Et vos deux autres invités : miss Estravados et Mr Farr?

— Miss Estravados est ma nièce. Mr Farr est le fils d'un ancien associé de mon père, en Afrique du Sud.

— Ah! un vieil ami.

— Non, intervint Lydia. Nous ne l'avions jamais vu.

— Et cependant vous l'avez invité à passer chez vous les fêtes de Noël?

Alfred hésita, puis consulta sa femme du regard. Elle déclara d'une voix claire :

— Mr Farr est arrivé ici, hier, sans être attendu. Comme il se trouvait dans le voisinage, il est venu faire une visite à mon beau-père. Apprenant que ce jeune homme était le fils de son vieil ami et associé, mon beau-père voulut absolument le retenir pour les fêtes.

— Je comprends, fit le colonel Johnson. En ce qui

80

concerne les domestiques, Mrs Lee, tous sont dignes de confiance?

Lydia hésita avant de répondre. Puis, elle déclara :

— Oui. Tous sont honnêtes et la plupart nous servent depuis des années. Le maître d'hôtel, Tressilian, était dans la maison alors que mon mari n'était qu'un bambin. Les seuls nouveaux sont Joan, la petite bonne, et le valet de chambre personnel de mon beau-père.

— Que pensez-vous de ces deux-là?

— Joan est une brave petite, un peu sotte. C'est tout le mal qu'on peut dire d'elle. Je ne connais pas beaucoup Horbury. Il n'est ici que depuis un an. Il remplissait très bien son service et mon beau-père s'en montrait satisfait.

— Et vous, madame, en étiez-vous aussi satisfaite? demanda Poirot d'un ton plein de sous-entendus.

Lydia haussa légèrement les épaules.

— Je n'avais pas affaire à cet homme.

— Pardon, madame, en votre qualité de maîtresse de maison, vous avez la surveillance des domestiques.

— Oui, bien sûr. Mais Horbury, serviteur personnel de mon beau-père, n'était pas sous ma surveillance.

— Je comprends.

— Venons-en maintenant aux événements de la nuit, dit le colonel Johnson. Je vous demande là un effort pénible, Mr Lee, mais voulez-vous me faire le récit de ce qui s'est passé.

— Bien sûr, répondit Alfred à voix basse.

— Quand avez-vous vu votre père pour la dernière fois?

Un spasme douloureux contracta les traits d'Alfred, qui répondit d'une voix brisée :

— Après le thé, je suis resté près de lui un court moment. Enfin, je lui ai souhaité une bonne nuit et l'ai quitté... Il pouvait être... 6 heures moins le quart.

— Vous lui avez dit bonne nuit, remarqua Poirot. Vous ne pensiez donc pas le revoir de la soirée?

– Non. Le soir, mon père mangeait très légèrement et on lui montait son souper de bonne heure ou bien il demeurait assis dans son fauteuil. Mais il ne voulait pas être dérangé, à moins qu'il ne nous fît appeler.

– Cela arrivait-il souvent?

– De temps à autre, lorsqu'il se sentait d'humeur à bavarder.

– Mais ce n'était pas une habitude?

– Non.

– Continuez, je vous en prie, Mr Lee.

– Nous avons dîné à 8 heures. A la fin du repas, ma femme et les autres dames gagnèrent le salon. (La voix d'Alfred s'altéra :) Nous étions assis là... à la table... quand soudain, au-dessus de nous, se produisit un bruit effrayant. Tables et chaises renversées, porcelaines brisées; puis... Oh! mon Dieu! (Il frissonna.) Je l'entends encore... mon père... poussa un long cri affreux... celui d'un homme souffrant horriblement...

De ses mains tremblantes, Alfred se couvrit le visage. Lydia lui toucha le bras d'un geste affectueux.

– Et alors? demanda le colonel Johnson.

– Nous demeurâmes un moment atterrés, prononça Alfred Lee d'une voix étouffée. Puis nous nous levâmes et d'un bond nous courûmes à la porte pour gagner l'escalier et la chambre de mon père. La porte était fermée à clef. Impossible d'entrer. Enfin, on défonça la porte et alors nous vîmes...

Sa voix se brisa.

– Inutile d'entrer dans ces détails, Mr Lee, intervint Johnson. Revenons plutôt au moment où vous étiez dans la salle à manger. Qui s'y trouvait avec vous quand vous entendîtes le cri?

– Qui?... Mais nous y étions tous... Non, attendez. Mon frère était avec moi... mon frère Harry.

– Personne autre?

– Non.

– Où se trouvaient les autres messieurs?

Alfred soupira et fit un effort pour répondre :

– Laissez-moi me souvenir pour être bien précis. Il me semble que c'est loin... qu'il y a des années... Ah oui! J'y suis. George était au téléphone. Alors nous commençâmes à discuter affaires de famille, et Stephen s'excusa, disant que nous avions besoin d'être seuls pour ce genre d'entretien. Il nous quitta, avec beaucoup de tact et de gentillesse.

– Et votre frère David?

Alfred réfléchit :

– David? Etait-il avec nous? Non, mais je ne puis dire au juste à quel moment il a quitté la salle à manger.

Aimable, Poirot intervint :

– Ainsi, vous vouliez discuter d'affaires de famille?

– Euh... oui.

– Ce qui revient à dire que vous vouliez en discuter avec un des membres de votre famille?

– Qu'entendez-vous par là, monsieur Poirot? demanda Lydia.

Vivement, Hercule Poirot se tourna vers elle.

– Madame, votre mari vient de dire que Mr Farr se retira parce qu'il comprenait qu'ils voulaient discuter affaires, mais ce n'était pas un conseil de famille puisque Mr David et Mr George étaient absents. Ce n'était donc qu'une discussion entre deux membres de la famille.

– Mon beau-frère, Harry, avait vécu à l'étranger pendant de nombreuses années, lui expliqua Lydia. Il était tout naturel que mon mari et lui aient à parler de certaines questions.

– Oui, je comprends. C'est bien ce que je dis.

Elle lui lança un regard inquiet, puis détourna les yeux.

– Ce point semble réglé, observa Johnson. Avez-vous remarqué quelqu'un d'autre lorsque vous vous êtes précipité vers la chambre de votre père?

– Je... Oui... Nous arrivions tous... de différentes directions. Mais je n'ai remarqué personne en particulier... J'étais tellement bouleversé... Ce cri affreux...

Le colonel Johnson passa vivement à un autre sujet :

– Votre père, paraît-il, possédait des diamants de grande valeur.

– Oui, en effet.

– Où les rangeait-il?

– Dans le coffre-fort de sa chambre.

– Pouvez-vous me le décrire?

– C'étaient des diamants bruts... des pierres non taillées.

– Pourquoi votre père les conservait-il dans sa chambre?

– Par simple caprice. Il avait rapporté ces diamants d'Afrique du Sud et, heureux de les avoir en sa possession, ne songeait pas à les faire tailler. Comme je vous le disais, c'était de sa part un simple caprice.

– Je comprends, dit le colonel, mais son ton indiquait nettement qu'il ne comprenait rien à ce caprice de vieillard. Ces pierres étaient-elles de grande valeur?

– Mon père les estimait à dix mille livres environ.

– De fait, elles représentaient une fortune.

– Oui.

– Quelle idée de garder des diamants d'un tel prix dans un coffre de chambre à coucher.

– Mon beau-père était un homme un peu bizarre, expliqua Lydia. Ses goûts n'étaient pas ceux de tout le monde. En réalité, il prenait plaisir à manipuler ces pierres de valeur.

– Elles lui rappelaient peut-être le passé, observa Poirot.

Lydia lui lança un coup d'œil approbateur :

– Oui. C'était sûrement cela.

– Etaient-elles assurées? demanda le colonel.

– Je ne crois pas.

Johnson se pencha en avant et prononça d'une voix calme :

– Savez-vous, Mr Lee, que ces diamants ont été volés?

– Comment? fit Alfred, suffoqué.

– Votre père ne vous a pas parlé de leur disparition?

– Ils ne m'en a pas soufflé mot.

– Vous ne saviez pas qu'il avait fait appeler le superintendant Sugden, ici présent, pour le mettre au courant de ce vol?

– Je n'en avais pas la moindre idée.

– Et vous, Mrs Lee? demanda le chef constable.

Lydia secoua la tête :

– Je ne suis au courant de rien.

– Et vous pensiez que les diamants se trouvaient toujours dans le coffre?

– Oui... (Après une courte hésitation, elle demanda :) Est-ce pour cela que l'on a tué mon beau-père? Pour s'emparer de ces diamants?

– C'est ce que nous allons découvrir! répondit le colonel Johnson. Mrs Lee, avez-vous idée de la personne qui aurait pu commettre ce méfait?

– Non. Je vous assure que tous les domestiques sont honnêtes. En tout cas, il leur eût été difficile de toucher au coffre. Mon beau-père ne quittait jamais sa chambre. Jamais il ne descendait.

– Qui nettoyait cette pièce?

– Horbury faisait le lit et époussetait. La seconde femme de chambre montait pour nettoyer la grille du foyer et allumer le feu chaque matin. Horbury se chargeait du reste.

– Ainsi, Horbury aurait eu le plus de facilité pour s'approcher du coffre, observa Poirot.

– Oui.

– Croyez-vous que ce soit lui qui ait dérobé les diamants?

– C'est possible... il était mieux placé qu'aucun des autres. Oh! je ne sais plus que croire!

– Votre mari, reprit le colonel Johnson, vient de nous dire l'emploi de sa soirée. Voulez-vous en faire autant, madame? Quand avez-vous vu votre beau-père pour la dernière fois?

– Nous sommes tous montés dans sa chambre avant le thé. C'est la dernière fois que je l'ai vu vivant.

– Vous n'êtes pas montée plus tard dans la soirée pour lui dire bonne nuit?

– Non.

– Aviez-vous l'habitude d'aller lui souhaiter bonne nuit? demanda Poirot.

– Non, répondit sèchement Lydia.

– Où vous trouviez-vous au moment du crime? reprit Johnson.

– J'étais au salon.

– Avez-vous entendu le bruit de la lutte?

– Je crois avoir entendu tomber quelque chose de lourd. Comme la chambre de mon beau-père se trouve située au-dessus de la salle à manger et non au-dessus du salon, le bruit m'est parvenu un peu assourdi.

– Mais avez-vous perçu le cri?

Lydia frémit :

– Ah oui! C'était affreux... on eût dit le gémissement d'un damné. Tout de suite, j'ai compris qu'il se passait une chose terrible. Je suis sortie précipitamment du salon et j'ai suivi mon mari et Harry dans l'escalier.

– Qui se trouvait avec vous dans le salon à cet instant?

Lydia fronça le sourcil.

– Ma foi... je ne puis m'en souvenir. David était dans la pièce à côté et jouait du piano. Hilda était allée le rejoindre.

– Et les deux autres dames? Où étaient-elles?

– Magdalene était allée téléphoner. Je ne sais si elle

était revenue au salon. Et je ne puis dire où se trouvait Pilar.

– En réalité, observa doucement Poirot, vous auriez pu vous trouver seule dans ce salon?

– Oui... oui... de fait, je crois que j'étais seule.

– A propos de ces diamants, dit le colonel Johnson, nous ferions bien de nous assurer de leur disparition. Connaissez-vous la façon d'ouvrir le coffre-fort de votre père, Mr Lee? Il paraît être d'un modèle ancien.

– Le chiffre de la combinaison est écrit dans un petit carnet que mon père portait dans la poche de sa robe de chambre.

– Bien. Nous allons le chercher... Auparavant, il serait bon que nous interrogions les autres membres de la famille. Les dames désirent peut-être aller se coucher?

Lydia se leva.

– Sortons, Alfred. (Puis, se tournant vers les policiers :) Voulez-vous que je fasse venir les autres?

– Si cela ne vous dérange pas, Mrs Lee, mais seulement un à un.

– Bien sûr.

Elle se dirigea vers la porte, suivie d'Alfred. Au moment de franchir le seuil, il se retourna brusquement.

– J'y suis! fit-il. (D'un pas vif, il alla vers Poirot.) Vous êtes Hercule Poirot! Où avais-je donc l'esprit? J'aurais dû tout de suite vous reconnaître. (Il ajouta d'un air agité :) C'est la Providence qui vous envoie, monsieur Poirot! Il faut absolument que vous découvriez la vérité. Ne reculez devant aucun frais. C'est moi qui réglerai tout. Mais de grâce, découvrez l'assassin de mon pauvre père... On l'a tué avec une telle brutalité! Monsieur Poirot, je veux que mon père soit vengé!

– Je vous assure, Mr Lee, répondit Poirot, très

calme, que je ferai tout mon possible pour aider le colonel Johnson et le superintendant Sugden.

– Monsieur Poirot, insista Alfred Lee, je désire que vous travailliez pour moi... afin de venger la mort de mon père.

Il se mit à trembler. Lydia, revenue près de son mari, lui prit le bras :

– Viens, Alfred, nous devons envoyer les autres.

Les yeux de la femme croisèrent ceux de Poirot, mais Lydia ne se troubla point.

Poirot prononça lentement :

– Qui eût cru que le vieillard...

– Arrêtez! l'interrompit-elle. Ne dites pas cela!

– C'est vous, madame, qui l'avez dit, murmura Poirot.

– Je le sais... soupira-t-elle. Je m'en souviens... C'était si... horrible!

Puis elle sortit de la pièce, suivie de son mari.

IX

Solennel et correct, George Lee entra.

– Quelle épouvantable tragédie! dit-il en secouant la tête. Quel cauchemar! C'est le crime d'un fou!

– C'est là votre opinion? demanda poliment le colonel Johnson.

– Je ne vois pas d'autre explication. Un fou homicide, échappé de quelque asile des environs.

– Comment ce fou aurait-il pu s'introduire dans la maison et en sortir, Mr Lee? intervint le superintendant.

– A la police de le découvrir, répondit George Lee d'un ton ferme.

– Nous avons fait le tour de la maison, expliqua Sugden. Toutes les fenêtres étaient fermées. La porte de côté et la porte de devant étaient fermées à clef.

Personne n'aurait pu s'échapper par la cuisine sans être remarqué par les domestiques.

– Voyons! C'est absurde! Vous allez dire tout à l'heure que mon père n'a pas été assassiné!

– Malheureusement, le meurtre ne fait aucun doute, déclara le superintendant Sugden.

Le chef de la police s'éclaircit la gorge et poursuivit l'interrogatoire.

– Où vous trouviez-vous au moment du crime?

– Dans la salle à manger. C'était tout de suite après le repas. Ou plutôt non, je me trouvais dans ce bureau, en train de téléphoner.

– Vous téléphoniez?

– Oui, je venais de parler à un de mes agents électoraux de Westeringham... au sujet d'une question importante...

– Et vous aviez fini de téléphoner quand vous avez entendu le cri?

George Lee frémit légèrement :

– Oui, un cri horrible qui me glaça jusqu'à la moelle... et se termina en une sorte de gargouillement étouffé. (Il prit son mouchoir et s'épongea le front.) Quelle mort épouvantable, murmura-t-il.

– Et vous êtes monté là-haut?

– Oui.

– Avez-vous rencontré vos frères, Mr Alfred et Mr Harry Lee?

– Non. Ils avaient dû monter avant moi.

– Quand avez-vous vu votre père pour la dernière fois?

– Cet après-midi. Il nous avait tous fait monter dans sa chambre.

– Vous ne l'avez pas revu ensuite?

– Non.

– Saviez-vous que votre père gardait un lot de diamants de valeur dans le coffre-fort de sa chambre à coucher? demanda le colonel après une pause.

George Lee fit de la tête un signe affirmatif.

– Il commettait là une réelle imprudence! déclarat-il d'un ton sentencieux. Bien des fois je le lui ai répété. On aurait pu le tuer pour les lui voler... c'est-à-dire...

Le colonel Johnson l'interrompit :

– Savez-vous que ces diamants ont disparu?

La mâchoire de George s'affaissa et ses gros yeux regardèrent fixement le chef constable.

– Ainsi on l'a tué pour les lui enlever?

– Il avait averti la police de la disparition de ses pierres quelques heures avant sa mort, lui dit Johnson.

– Alors... je ne comprends plus... Je...

– Et nous, pas davantage, sussura Hercule Poirot.

X

Harry entra dans le bureau d'un air conquérant. Poirot le dévisagea en fronçant le sourcil. Il avait l'impression d'avoir déjà vu cet homme. Il remarqua les traits du visage : le nez busqué, le profil altier, la ligne de la mâchoire, et constata enfin que si Harry était plus grand que son père, il existait pourtant une grande ressemblance entre eux deux.

Il constata encore autre chose. Malgré ses allures de matamore, Harry Lee était en proie à une grande nervosité mal dissimulée sous ses airs fanfarons.

– Eh bien, messieurs, que désirez-vous de moi? demanda-t-il.

– Nous serions heureux si vous pouviez nous éclairer sur ce qui s'est passé ici dans la soirée, lui répondit le colonel Johnson.

Harry Lee secoua la tête.

– Je ne sais rien du tout. Tout cela était si horrible et si inattendu!

– Vous arrivez de l'étranger, il me semble, Mr Lee? observa Poirot.

Harry se tourna vivement vers le détective belge.

– Oui. J'ai débarqué en Angleterre, il y a une semaine.

– Aviez-vous été longtemps absent?

Harry Lee leva le menton en l'air et ricana :

– Autant vous dire tout de suite la vérité! L'un ou l'autre vous racontera tout à l'heure mon histoire. Messieurs, c'est moi le fils prodigue de la famille! Voilà bientôt vingt ans que je n'avais mis les pieds dans cette maison.

– Mais... vous êtes revenu. Voulez-vous nous dire pourquoi? demanda Poirot.

– C'est toujours la même vieille parabole, répondit Harry avec un air de sincérité. Fatigué des épluchures que les cochons mangent... ou ne mangent pas – je ne me souviens plus au juste –, je songeai que le veau gras constituerait un changement appréciable. Je reçus une lettre de mon père m'invitant à rentrer à la maison. J'obéis et je vins. Voilà tout.

– Etes-vous ici pour un court séjour... ou pour rester longtemps?

– Je suis rentré à la maison... pour de bon, déclara Harry.

– Et votre père le désirait-il?

– Il en était tout réjoui. (Harry éclata de rire et de petites rides se dessinèrent aux coins de ses yeux.) Père s'ennuyait, seul avec Alfred! Alfred est un bon garçon et possède de grandes qualités, mais il est ennuyeux au possible. Dans son jeune temps, mon père était un joyeux luron. Il espérait se dérider un peu en ma compagnie.

– Votre frère et sa femme étaient-ils aussi contents de vous voir habiter ici? demanda Poirot, les sourcils légèrement levés.

– Alfred? Il en pâlissait de rage. Quant à Lydia, je ne saurais le dire. Sans doute était-elle contrariée, à cause de son mari. Mais je suis certain que pour finir elle eût été ravie. J'aime beaucoup Lydia, c'est une femme délicieuse. Je me serais bien entendu avec elle, mais avec Alfred, c'est une autre paire de manches. Il a toujours été jaloux de moi. De tout temps il a été le bon fils casanier et docile. Et, en fin de compte, quel avantage en tirera-t-il? Comme tous les bons fils demeurés au foyer paternel, il récoltera un bon coup de pied quelque part. Croyez-m'en, messieurs, la vertu n'est jamais récompensée.

Il étudia les visages de ses auditeurs.

— J'aime à croire, messieurs, que ma franchise ne vous scandalise pas. Après tout, vous cherchez la vérité, n'est-ce pas? Pour finir, vous étalerez en plein jour le linge sale de la famille. Autant vous montrer le mien tout d'abord. Je ne suis pas particulièrement affecté par la mort de mon père... Je ne l'avais pas vu depuis mon adolescence... néanmoins c'est mon père et il a été assassiné. Je veux que sa mort soit vengée! (Il se caressa la joue en les dévisageant :) Dans notre famille, nous rendons le mal pour le mal. Un Lee n'oublie pas aisément. Je tiens à ce que le meurtrier de mon père soit pendu.

— Comptez sur nous, Mr Lee. Nous ferons tout notre possible, dit Sugden.

— Si vous ne mettez pas la main sur le coupable, je m'en chargerai et je le punirai moi-même, déclara Harry Lee.

— Auriez-vous quelque idée sur l'identité du meurtrier, Mr Lee? lui demanda le colonel d'un ton sec.

— Non. Je n'en ai aucune. Malheureusement, plus j'y réfléchis, plus il me semble impossible qu'il ait été tué par quelqu'un du dehors...

— Ah! fit Sugden en inclinant la tête.

— Et alors, poursuivit Harry, quelqu'un de la maison a tué mon père? Qui aurait commis ce crime? Je ne puis soupçonner les domestiques. Tressilian est ici depuis le déluge. Cet imbécile de valet de pied? Certes non. Quand à Horbury, c'est un drôle d'oiseau, mais Tressilian me dit qu'il était allé au cinéma. Je mets

Stephen Farr de côté. Je ne crois pas qu'aucun de nous ait fait cela. Alfred ? Il adore père. George ? Il manquerait de courage. David ? David a toujours été un rêveur. Il tomberait dans les pommes en voyant son doigt saigner. Les femmes ? Une femme ne peut de sang-froid aller trancher la gorge d'un homme. Alors, qui a tué père ? Du diable si je soupçonne qui a commis ce crime !

Le colonel Johnson s'éclaircit la gorge... par habitude.

– Quand avez-vous vu votre père pour la dernière fois ? demanda-t-il.

– Après le thé. Il venait de se disputer avec Alfred... au sujet de votre serviteur. Le vieux s'ennuyait et, pour se distraire, il fomentait la dispute. A mon avis, voilà pourquoi il avait caché mon arrivée aux autres. Il se réjouissait à l'avance de leur ahurissement. Voilà aussi pourquoi il annonça son intention de modifier son testament.

Poirot s'agita légèrement :

– Ainsi, votre père a parlé de son testament ?

– Oui... devant la famille réunie... et il nous épiait pour voir nos réactions. Il a téléphoné au notaire de venir ici après Noël pour en discuter avec lui.

– Quels changements comptait-il y apporter ? demanda Poirot :

Harry Lee grimaça.

– Il ne nous en a rien dit ! Le vieux renard ne se livrait pas ainsi. J'imagine... ou plutôt j'espérais... que les modifications prévues par lui étaient à l'avantage de votre humble serviteur ! Sans doute m'avait-il exclu des testaments précédents et voulait-il me réserver ma part. Mauvaise affaire pour les autres ! Il songeait peut-être aussi à Pilar... Il s'était entiché d'elle et voulait certainement lui léguer quelque chose. Vous n'avez pas encore vu Pilar ? Ma nièce d'Espagne ? Une beauté... avec toute la chaleur du Midi... et aussi sa cruauté. Si je n'étais pas son oncle...

– Vous dites que votre père s'était entiché d'elle?

– Oui. Elle savait le prendre et venait souvent bavarder avec lui. Elle savait ce qu'elle voulait, la mâtine! A présent, il est mort et ne modifiera pas ses dispositions testamentaires en faveur de Pilar... ni en la mienne, ce qui est bien fâcheux! (Il fronça le sourcil, fit une pause, puis reprit en changeant de ton :) Mais je m'écarte de la question. Vous désiriez savoir quand j'ai vu mon père pour la dernière fois? Comme je vous l'ai dit, c'est après le thé... il devait être un peu plus de 6 heures. Père était alors de belle humeur... un peu fatigué, peut-être. En sortant, je l'ai laissé avec Horbury. Je ne devais plus le revoir vivant.

– Où étiez-vous au moment de sa mort?

– Dans la salle à manger avec mon frère Alfred. La bonne entente ne régnait pas précisément entre nous. Nous étions en pleine discussion lorsque nous perçûmes un vacarme au-dessus de nos têtes. On eût dit que dix hommes bataillaient là-haut. Alors, mon pauvre père poussa un cri... cela ressemblait au cri d'un cochon qu'on égorge. Alfred demeura cloué sur sa chaise, la mâchoire pendante. Je dus le secouer pour le ranimer et nous montâmes l'escalier ensemble. La porte était fermée à clef, nous l'enfonçâmes, ce qui ne fut pas facile. Comment cette porte pouvait-elle être fermée à clef? Il n'y avait personne que père dans la chambre, et je jure que l'assassin n'a pu s'échapper par les fenêtres.

– La porte a bel et bien été fermée de l'extérieur, répliqua le superintendant.

– Quoi? (Harry ouvrit de grands yeux.) Je vous jure que la clef se trouvait à l'intérieur.

– Vous avez remarqué ce détail? fit Poirot.

– Oui. Rien ne m'échappe. J'ai l'habitude de tout voir. (Il interrogea du regard ses interlocuteurs :) Avez-vous autre chose à me demander, messieurs?

– Non, merci, Mr Lee, pas pour le moment, lui dit

le colonel Johnson. Auriez-vous l'obligeance de dire à la personne suivante de venir ici ?

– Bien sûr ! lança-t-il en sortant sans se retourner.

– Qu'en pensez-vous, Sugden ? s'enquit le colonel Johnson.

L'autre hocha la tête d'un air hésitant, puis déclara :

– Il a peur de quelque chose. De quoi ?...

XI

Magdalene fit une pause sur le seuil du bureau. De sa longue main aux doigts effilés, elle tapota ses cheveux platinés. Sa robe moulait ses lignes sveltes. Elle paraissait très jeune et un peu effrayée.

Les trois hommes la dévisagèrent un moment. Les yeux de Johnson trahirent une vive admiration. Ceux du superintendant Sugden montraient plutôt l'impatience d'un homme pressé d'en finir. Mais la jeune femme remarqua dans le regard de Poirot une profonde surprise : Poirot s'émerveillait non point de sa beauté, mais du parti qu'elle savait en tirer. Elle ignorait que Poirot se disait en lui-même :

« Un joli mannequin, cette petite, mais qu'elle a le regard dur ! »

Le colonel Johnson pensait : « George Lee a pris une femme réellement belle ! Qu'il la surveille de près, car elle sait aguicher les hommes ».

De son côté, Sugden songeait : « Elle me fait l'effet d'une tête sans cervelle... uniquement préoccupée de sa toilette. Nous aurons vite fait de l'interroger ».

– Voulez-vous vous asseoir, Mrs Lee ? Voyons, vous êtes...

– Mrs George Lee.

Elle accepta la chaise que lui offrait Johnson avec un sourire qui semblait vouloir dire : « Après tout, bien que vous soyez policier, vous n'êtes pas si terrible que cela! » La fin de ce sourire s'adressa à Poirot : les étrangers étaient si sensibles aux charmes féminins! Elle s'inquiétait peu de l'impression qu'elle produisait sur le superintendant Sugden.

Croisant les mains en un joli geste de détresse, elle s'écria :

— Quelle chose horrible! J'en suis toute retournée.

— Voyons! voyons! Mrs Lee, dit le colonel Johnson d'un ton bienveillant, mais un peu vif. Ce crime vous a bouleversée, je sais bien. Mais, le premier choc est passé et nous voulons simplement entendre de vos lèvres le récit de ce qui s'est produit dans la soirée.

— Je n'en sais rien! s'écria-t-elle. Je vous le jure.

Le colonel l'observa un moment, les paupières à demi fermées, puis il prononça doucement :

— Non, évidemment, non!

— Nous sommes arrivés hier. George voulait absolument que je vienne ici avec lui pour la Noël. Nous aurions mieux fait de rester chez nous. Jamais je ne me remettrai d'une pareille émotion.

— C'est une épreuve bien dure... en effet.

— Vous comprenez, je ne connaisais pas la famille de George. Je n'avais vu son père que deux fois... dont une lors de notre mariage. J'ai rencontré Alfred et Lydia plus souvent, mais ce ne sont pour moi guère plus que des étrangers.

De nouveau, Magdalene prit une expression de petite fille effrayée. De nouveau, Hercule Poirot songea, émerveillé : « Elle joue fort bien la comédie, cette petite. »

— Bien, dit le colonel Johnson. Dites-moi : quand avez-vous vu votre beau-père... en vie... pour la dernière fois?

— Oh! c'était cet après-midi... Quel moment terrible!

— Terrible! Pourquoi? demanda vivement Johnson.

— Ils étaient en colère!

– Qui était en colère?

– Tous... Pas Georges, bien sûr... Son père ne lui a rien dit. Mais les autres.

– Que s'est-il passé au juste?

– Eh bien, voilà! Mon beau-père nous avait fait dire de monter chez lui. Comme nous arrivions à sa porte, il était en train de téléphoner... à son notaire, au sujet de son testament. Ensuite, il a reproché à Alfred d'avoir l'air renfrogné. Il est vrai qu'Alfred était mécontent de voir son frère Harry s'installer dans la maison. Harry, paraît-il, s'était mal conduit envers la famille. Ensuite, mon beau-père a parlé de sa femme... Elle est morte depuis longtemps... Il a prétendu que sa femme était comme une oie. Aussitôt David a bondi, prêt à sauter sur son père pour le tuer... Oh! (Elle s'arrêta brusquement, l'air alarmé :) Ce... ce n'est pas ce que j'ai voulu dire.

– Je comprends fort bien, lui dit le colonel Johnson d'un ton encourageant. Ce n'est qu'une façon de parler.

– Hilda, la femme de David, calma son mari et... ma foi, je crois que ce fut tout. Mr Lee nous fit savoir qu'il ne désirait revoir aucun de nous dans la soirée. Et nous l'avons quitté.

– Et c'est la dernière fois que vous l'avez vu?

– Oui. Jusqu'à... jusqu'à...

Elle trembla.

– Bien, bien, dit le colonel Johnson. Maintenant, où étiez-vous au moment du crime?

– Attendez... Je crois que j'étais au salon.

– En êtes-vous certaine?

La jeune femme cligna des yeux et baissa les paupières.

– Oh! que je suis sotte... J'étais allée téléphoner. On finit par tout embrouiller...

– Vous étiez en train de téléphoner? Dans cette pièce?

– Oui. C'est le seul appareil téléphonique, à part celui de la chambre de mon beau-père.

– Quelqu'un se trouvait ici avec vous? lui demanda Sugden :

– Non. J'étais toute seule.

– Etes-vous restée longtemps au téléphone?

– Un assez long moment. Cela demande un certain temps pour obtenir la communication, le soir.

– Etait-ce une communication interurbaine?

– Oui... avec Westeringham.

– Et ensuite?

– Ensuite, il y a eu cet horrible cri... et tout le monde a couru dans l'escalier... la porte était fermée à clef, on a dû la briser. Oh! quel cauchemar! Je m'en souviendrai toute ma vie.

– Mais non, mais non, fit le colonel d'un air indulgent. Au fait, saviez-vous que votre beau-frère conservait dans son coffre-fort tout un lot de diamants?

– Pas possible? De vrais diamants?

– Oui, madame, lui répondit Hercule Poirot, de vrais diamants, pour une valeur de dix mille livres.

– Oh!

Ce petit cri renfermait toute l'essence de la cupidité féminine.

– Pour le moment, je crois que c'est tout ce que je voulais vous demander, Mrs Lee, dit le colonel Johnson.

– Merci, fit-elle en se levant.

Elle adressa au colonel et à Poirot un sourire de petite fille reconnaissante, puis elle se dirigea vers la porte, la tête bien droite.

– Voulez-vous avoir l'obligeance de faire venir votre beau-frère, Mr David Lee, lui dit le colonel Johnson.

Fermant la porte derrière elle, il regagna la table.

– Eh bien, dit-il aux deux autres, qu'en pensez-vous? Nous avançons. Remarquez un détail : George Lee téléphonait lorsqu'il a entendu le cri! Sa femme téléphonait également lorsqu'elle l'a entendu! Il y a là une inexactitude... Sugden, quelle est votre opinion?

– Je ne voudrais pas médire de cette dame, dit lentement le superintendant. Bien que je la juge capable de tirer de l'argent d'un homme par tous les moyens, je ne crois pas devoir la classer dans la catégorie des femmes qui couperaient la gorge à un homme. Elle s'y prendrait d'une autre façon.

– Hé! Hé! sait-on jamais? murmura Poirot.

– Et vous, Poirot, qu'en dites-vous?

Hercule Poirot rectifia la position du buvard placé devant lui et, d'une chiquenaude, chassa un grain de poussière sur l'abat-jour de la lampe de bureau :

– Il me semble que nous commençons à comprendre le caractère de la victime. Pour moi, l'explication de cette affaire réside dans la personnalité de Mr Lee.

L'air perplexe, le colonel se tourna vers Poirot :

– Je ne saisis pas du tout votre idée, monsieur Poirot. Qe vient faire ici le caractère du mort?

– Le caractère de la victime explique presque toujours sa fin, observa Poirot d'un ton pensif. Ainsi la bonté et la confiance de Desdémone furent la cause directe de sa mort. Une femme plus rouée eût compris les machinations de Iago et les eût déjouées. Marat, atteint d'une maladie de la peau, devait mourir dans son bain et le fougueux Mercutio à la pointe d'une épée.

Le colonel Johnson tira sur sa moustache.

– Que voulez-vous dire exactement, Poirot?

– Je veux dire que Mr Lee, de par la nature de son tempérament, avait mis en mouvement certaines forces, qui, en fin de compte, déterminèrent sa mort.

– Ainsi, vous ne croyez pas qu'on l'a tué pour s'emparer de ses diamants?

Poirot sourit devant la perplexité du brave Johnson.

– Mon cher, c'est précisément en raison de sa

nature particulière que le vieux Simeon Lee conservait des diamants non taillés et d'une valeur de dix mille livres dans son coffre! Ce n'est pas là le fait d'un homme ordinaire.

– C'est vrai, monsieur Poirot, dit le superintendant Sugden, approuvant de la tête, de l'air d'un homme qui comprend enfin son interlocuteur. Mr Lee était un original. Il gardait ces pierres non taillées pour les tenir dans sa main et retrouver le souvenir du passé.

– Précisément... précisément..., acquiesça Poirot. Vous avez l'esprit pénétrant, Mr Sugden.

Le superintendant parut plutôt embarrassé du compliment, mais Johnson intervint :

– Il y a encore autre chose, Poirot. Avez-vous remarqué...

– Mais oui! fit Poirot. Je sais ce que vous voulez dire. Mrs George Lee nous en a appris plus qu'elle ne croit. Elle nous a donné une idée à peu près exacte de la dernière réunion familiale. Avec beaucoup de naïveté, elle nous a dit que son beau-frère Alfred était en colère contre son père... et que David avait l'air prêt à le tuer. Sans doute ces deux constatations sont-elles vraies. D'après cela, rien de plus facile que de reconstituer ce qui s'est passé chez Simeon lee. Pourquoi avait-il assemblé sa famille? Pourquoi sont-ils arrivés à temps pour l'entendre téléphoner à son notaire? Parbleu! ce n'était pas là un effet du hasard. Il voulait que tous l'entendissent! Le pauvre vieux cherchait une distraction et s'amusait à exciter les convoitises et la cupidité de l'humaine nature... et aussi ses passions? Dans ce petit jeu, il n'a dû oublier aucun de ses enfants. Logiquement et nécessairement, il a taquiné George Lee aussi bien que les autres. Sa femme se montre très discrète là-dessus. A elle aussi, le vieux a dû lancer quelques flèches empoisonnées. Les autres nous apprendront ce que Simeon Lee a dit à George et à sa femme.

Il s'arrêta. La porte venait de s'ouvrir et David Lee entra.

XII

David Lee affichait un calme extraordinaire... D'un pas décidé, il se dirigea vers le bureau, prit une chaise et s'assit en face du colonel Johnson, qu'il regarda d'un œil grave et interrogateur.

La lumière caressait la mèche blonde barrant son front et éclairait le fin modelé de ses joues. Il paraissait ridiculement jeune et on avait peine à croire qu'il était le fils du vieillard recroquevillé qui gisait là-haut.

– Eh bien, messiers, dit-il, que voulez-vous de moi?

– Il paraît, Mr Lee, attaqua le colonel Johnson qu'il y eut une sorte de réunion familiale dans la chambre de votre père cet après-midi?

– En effet, mais rien d'extraordinaire... Il ne s'agissait nullement d'un conseil de famille ou de quelque chose dans ce genre.

– Que se passa-t-il, alors?

– Mon père était de mauvaise humeur, répondit David Lee sans se troubler. C'était un vieillard, un infirme, et il faut l'excuser à cause de son état. Je crois qu'il nous avait assemblés pour déverser sur nous ses rancœurs.

– Vous souvenez-vous de ses paroles?

– Il a proféré des absurdités. Il nous a reproché de n'être bons à rien... Il a dit qu'il n'y avait pas un homme digne de ce nom dans la famille... que Pilar – notre nièce arrivée d'Espagne – en valait deux comme nous. Et...

– S'il vous plaît, Mr Lee, l'interrompit Poirot, voulez-vous répéter les paroles exactes de votre père?

– Mon père parlait d'une voix enrouée, reprit David à contrecœur, et il disait qu'il espérait avoir de par le monde des bâtards plus dignes de lui que ses enfants légitimes...

David répéta ces paroles, une expression de dégoût sur ses traits délicats. Le superintendant Sugden le regarda d'un air vivement intéressé et demanda :

– Votre père n'a-t-il rien dit de spécial à votre frère, Mr George Lee?

– A George? Il l'a prévenu qu'il devrait à l'avenir modérer ses dépenses, car il se voyait obligé de lui diminuer sa rente. George en devint écarlate. Il balbutia qu'il ne pouvait vivre avec moins. D'un ton placide, mon père lui a dit qu'il n'avait pas le choix et que sa femme pourrait l'aider à réaliser des économies. C'était ce moquer de lui... George a toujours été l'avare de la famille... Magdalene est un peu dépensière... elle a des goûts excentriques...

– Elle aussi... a dû être furieuse... observa Poirot.

– Oui. D'autant plus que mon père lui a lancé une pointe... un peu cruelle... disant qu'elle avait vécu avec un officier de marine. Evidemment, il s'agissait du père de Magdalene, mais la façon dont père s'exprimait laissait des doutes. La pauvre Magdalene a rougi jusqu'aux oreilles.

– A-t-il parlé... de votre mère? demanda Poirot.

Le sang monta aux joues de David et battit fortement à ses tempes. Il serra les poings.

– Oui, il l'a insultée, prononça-t-il d'une voix étouffée

– En quels termes? demanda le colonel Johnson.

– Je ne m'en souviens pas au juste. Il a proféré quelques phrases dédaigneuses à son égard.

– Votre mère est morte depuis plusieurs années?

– Elle est morte quand j'étais encore enfant.

– Sans doute n'a-t-elle pas mené une vie très heureuse, ici?

David fit entendre un rire sarcastique :

– Qui aurait pu être heureux avec un homme

comme mon père? Ma mère était une sainte. Elle est morte de chagrin.

– Votre père en éprouva-t-il un regret sincère?

– Je l'ignore. Sitôt la mort de maman, j'ai quitté la maison... Vous l'ignorez peut-être, mais lorsque j'ai accepté de venir ici cette année pour Noël, je n'avais pas vu mon père depuis près de vingt ans. Aussi, je ne puis vous renseigner sur ses habitudes, ses ennemis ou ce qui se passait dans cette maison.

– Savez-vous que votre père conservait dans le coffre de sa chambre un lot de diamants de grande valeur? lui demanda le colonel Johnson.

– Cela me paraît bien imprudent de sa part, observa David avec indifférence. Je l'ignorais.

– Voulez-vous nous donner l'emploi du temps de votre soirée? demanda Johnson.

– Ce que j'ai fait? J'ai quitté la table assez vite. Cela n'ennuyait de rester bavarder en buvant du porto, d'autant plus qu'Alfred et Harry se cherchaient querelle. Je hais la discorde. Je me suis donc éclipsé et j'ai gagné la salle de musique pour jouer du piano.

– La salle de musique touche au salon, n'cst-ce pas? demanda Poirot.

– Oui... j'ai joué jusque... jusqu'au moment où se produisit cette chose horrible.

– Qu'avez-vous entendu exactement?

– Un bruit lointain de meubles remués, quelque part là-haut. Puis, un cri effrayant. (Il serra les poings.) Un cri semblable à celui d'un damné en enfer. Dieu! c'était affreux!

– Etiez-vous seul dans la salle de musique?

– Non, ma femme s'y trouvait également. Du salon, elle était venue me rejoindre. Nous sommes montés avec les autres... Vous ne vous attendez pas à ce que je vous décrive ce que j'ai vu là-haut?

– Non, ce n'est pas nécessaire, lui dit Johnson. Cela suffit, Mr Lee. Suspectez-vous quelqu'un d'avoir tué votre père?

– Oh oui! Pas mal de gens désiraient sa mort...
Toutefois, je ne vois pas qui aurait commis ce crime!

Il sortit en claquant la porte derrière lui.

XIII

Le colonel Johnson eut à peine le temps de s'éclair-
cir la gorge, que Hilda Lee entra.

Hercule Poirot l'étudia avec curiosité. Il songea que
les fils du vieux Lee avaient épousé des femmes sortant
de l'ordinaire. Lydia, à l'intelligence vive et à la grâce
de lévrier, Magdalene, aux séductions de courtisane, et
maintenant cette Hilda aux formes pleines dégageant
une force protectrice. Elle était plus jeune que ne la
faisaient paraître sa coiffure sans goût et sa robe
démodée. Aucun fil gris dans sa chevelure châtain, et
ses yeux, couleur noisette, brillaient comme deux
phares de bonté dans son visage aux traits épais. Voilà
une brave femme, se dit Poirot.

De son ton le plus aimable, le colonel disait à
Hilda :

– ... Cette mort vous a causé à tous un choc affreux,
Mrs Lee. D'après votre mari, c'est la première fois que
vous venez au manoir de Gorston?

Elle inclina la tête.

– Aviez-vous déjà rencontré votre beau-père?

– Non. David m'a épousée après son départ de chez
lui. Il ne voulait plus revoir sa famille. Jusqu'à présent,
nous n'avions revu aucun d'eux.

– Et comment vous êtes-vous décidée à faire cette
visite?

– Mon beau-père a écrit à David. Il invoquait son
grand âge et insistait sur le plaisir qu'il aurait à avoir
tous ses enfants autour de lui pour la Noël.

– Et votre mari a accepté de venir à son appel?

– C'est moi qui l'y ai poussé, soupira Hilda. Je ne connaissais pas la situation.

– Voulez-vous avoir l'obligeance, madame, lui dit Poirot, de vous montrer un peu plus explicite? Je crois que vous pourriez nous apprendre des choses intéressantes.

Aussitôt, elle se tourna vers Poirot.

– Je ne connaissais pas encore mon beau-père et j'ignorais son véritable dessein. Je pensais simplement qu'il souffrait de sa solitude et désirait se réconcilier avec ses enfants.

– Et, selon vous, madame, quelle était son intention réelle?

Hilda hésita un moment. Puis, elle dit d'une voix lente :

– J'ai la conviction... que mon beau-père ne cherchait nullement à établir la paix, mais à semer la discorde dans sa famille.

– De quelle manière?

– Il prenait plaisir à réveiller les instincts les plus mauvais de la nature humaine. Il y avait chez lui... comment pourrais-je dire?... une sorte de sadisme. Il voulait voir les membres de sa famille à couteaux tirés les uns contre les autres.

– Y a-t-il réussi? demanda Johnson.

– Hélas! oui! répondit Hilda. Il n'y a réussi que trop bien.

– Madame, intervint Poirot, on nous a parlé d'une scène qui s'est passée cet après-midi... une scène assez violente, paraît-il.

Elle inclina la tête.

– Voulez-vous la décrire... aussi exactement que possible?

Elle réfléchit un instant.

– Lorsque nous sommes arrivés chez mon beau-père, il téléphonait.

– A son notaire, n'est-ce pas?

– Oui. Il invitait Mr... Charlton, je crois... à venir le voir, car il comptait modifier son testament.

– Rappelez bien vos souvenirs, madame, insista Poirot, et dites-moi si, d'après vous, votre beau-père voulait que vous fussiez témoins de cette conversation, ou si c'est simplement par hasard que vous l'avez entendue ?

– Il voulait certainement que nous l'entendions, répliqua Hilda Lee sans hésiter.

– Dans le dessein de susciter des doutes et des soupçons en vos esprits ?

– Oui.

– Alors que, en réalité, il n'avait pas l'intention de changer son testament ?

– Je n'irais pas jusque-là. Je crois qu'il était sincère et voulait apporter quelques changements dans ses dispositions testamentaires, mais il prenait un malin plaisir à souligner le fait devant nous.

– Madame, dit Poirot, je n'ai aucun pouvoir officiel et mes questions ne sont peut-être pas celles que vous poserait un policier anglais. Je désire pourtant savoir quelles eussent été, selon vous, les modifications apportées à son testament par Mr Simeon Lee. Je vous demande, non point ce que vous savez, mais simplement ce que vous pensez. Dieu merci, les femmes ont vite fait de se former une opinion !

Hilda sourit.

– Je veux bien vous dire ce que j'en pense. La sœur de mon mari, Jennifer, épousa un Espagnol, Juan Estravados. Sa fille, Pilar, vient d'arriver dans cette maison. C'est une beauté... et la seule enfant de la famille. Son grand-père se prit pour elle d'une très vive affection et je crois qu'il songeait à lui léguer une grosse somme par son nouveau testament. Sans doute, ne lui avait-il pas laissé grand-chose dans l'ancien.

– Connaissiez-vous votre belle-sœur ?

– Non. Je ne l'ai jamais rencontrée. Son mari est mort en de tragiques circonstances, un peu après leur mariage. Jennifer est morte. Il y a un an. Pilar restant orpheline, Mr Lee l'a fait venir ici pour vivre en Angleterre.

— Les autres membres de la famille l'ont-ils bien acceuillie?

— Je crois que tous l'aiment bien. Cela fait plaisir de voir quelqu'un de jeune dans la maison.

— Et elle, se plaît-elle ici?

— Je ne sais pas. Notre existence doit paraître étrange à une jeune fille élevée dans le midi... En Espagne.

— La vie ne doit pas être gaie en Espagne par le temps qui court, observa Johnson. A présent, Mrs Lee, voulez-vous nous répéter la conversation qui eut lieu tantôt dans la chambre de votre beau-père?

— Je vous demande pardon, s'excusa Poirot. Je suis responsable de cette digression.

— Lorsque qu'il eut fini de téléphoner, reprit Hilda Lee, mon beau-père nous regarda l'un après l'autre en riant. Puis, il déclara que nous avions tous l'air bien renfrognés. Il dit ensuite qu'il se sentait las et désirait se coucher de bonne heure, personne ne devait donc monter le voir dans la soirée. Il voulait, expliqua-t-il, être dispos pour le jour de Noël. Ensuite...

Elle plissa le front dans son effort pour se souvenir :

— Il a dit qu'il fallait appartenir à une grande famille pour goûter les joies de la fête de Noël, puis il a entamé le chapitre de l'argent. Envisageant une augmentation des dépenses dans cette maison, il a prévenu George et sa femme qu'ils devraient faire des économies et a conseillé à Magdalene de faire elle-même ses toilettes. Sa propre femme, ajouta mon beau-père, était très adroite aux travaux d'aiguille.

Doucement, Poirot demanda :

— Est-ce là tout ce qu'il a dit de sa défunte épouse? Hilda rougit.

– Il a fait une remarque odieuse sur son intelligence. Mon mari adorait sa mère et s'en montra froissé. Alors, Mr Lee se mit dans une colère folle et nous lança des injures à la tête. Je comprends son sentiment...

– Comment? fit Poirot, l'interrompant.

Elle tourna vers lui des yeux sereins.

– Il était déçu de ne pas avoir de petits-enfants... je veux dire de petits-fils pour perpétuer le nom des Lee. Cette pensée a dû le tourmenter et enfin, ne pouvant plus se contenir, il a déversé sa rage contre ses fils... les traitant de momies... ou quelque chose dans ce goût. J'avais pitié de lui, parce que je devinais à quel point sa fierté se trouvait blessée.

– Et alors?

– Nous sommes tous sortis, dit Hilda.

– C'est la dernière fois que vous l'avez vu vivant?

– Oui.

– Où étiez-vous au moment du meurtre?

– Dans le salon de musique. Mon mari me jouait un morceau.

– Et alors?

– Nous avons entendu un vacarme de chaises et de tables renversées, de porcelaine brisée... un bruit de lutte. Puis, cet horrible cri...

– Etait-ce donc si horrible? dit Poirot. Ce cri ressemblait-il à celui des damnés en enfer?

– C'était même pire que cela, dit Hilda Lee.

– Que voulez-vous dire, madame?

– C'était comme un cri sans âme... un cri inhumain, un cri de bête...

– Madame, demanda Poirot, d'un ton grave, est-ce ainsi que vous l'avez jugé?

Elle leva la main en un geste de détresse et baissa les yeux vers le parquet.

XIV

Pilar pénétra dans le bureau, craintive comme un animal qui suspecte un piège. Regardant furtivement à droite et à gauche, elle se tenait sur ses gardes.

Le colonel Johnson se leva et lui avança une chaise.

– Vous comprenez sans doute l'anglais, miss Estravados? lui demanda-t-il.

Elle ouvrit de grands yeux et répondit :

– Naturellement. Ma mère était anglaise. Je suis moi-même très anglaise.

Un faible sourire effleura les lèvres du colonel, tandis que son regard se posait sur la jeune fille à la magnifique chevelure brune, aux fiers yeux noirs, aux lèvres rouges et sensuelles. Très anglaise! Ce terme ne convenait guère à Pilar Estravados.

Johnson commença l'interrogatoire :

– Votre grand-père vous a fait venir d'Espagne et vous êtes arrivée ici il y a quelques jours. C'est bien cela, n'est-ce pas?

Pilar acquiesça de la tête.

– Oui, c'est bien cela. J'ai eu un tas d'aventures avant de sortir d'Espagne... une bombe est tombée sous mes yeux et le chauffeur a été tué... sa tête baignait dans une mare de sang. Comme je ne sais pas conduire une auto, j'ai dû marcher très longtemps... et je n'aime pas du tout la marche. J'avais les pieds meurtris...

Johnson sourit.

– Vous êtes tout de même arrivée ici, lui dit-il. Votre mère vous avait-elle souvent parlé de votre grand-père?

– Oh! oui. Elle me racontait quel bon vivant c'était! répondit gaiement la jeune fille.

– Et qu'avez-vous pensé de lui quand vous l'avez

vu, mademoiselle? demanda Hercule Poirot dans un sourire.

— Oh! bien sûr, il était vieux, très vieux. Il restait assis dans son fauteuil et sa figure était toute ridée. Je l'aimais cependant. Il devait être beau quand il était jeune... un bel homme... comme vous, ajouta Pilar s'adressant au superintendant Sudgen.

Avec un plaisir naïf, elle contempla le visage de l'avantageux policier qui devint rouge brique.

Le colonel Johnson réprima une envie de rire. Rarement il avait vu Sugden aussi embarrassé.

— Naturellement, il n'a jamais dû être aussi grand que vous, remarqua Pilar avec un soupir de regret.

Poirot, lui aussi, soupira :

— Ainsi, vous aimez les hommes grands, señorita?

— Oh oui! déclara-t-elle avec enthousiasme. J'aime les hommes bien bâtis, grands, forts, aux épaules carrées...

— Voyiez-vous beaucoup votre grand-père depuis votre arrivée dans cette maison? poursuivit le colonel Johnson d'un ton sec.

— Oh oui! J'allais dans sa chambre et il me racontait ses souvenirs... Il me disait qu'il avait été un méchant homme, et me parlait de l'Afrique du Sud.

— A-t-il fait allusion devant vous aux diamants qu'il conservait dans son coffre-fort?

— Oui, il me les a même montrés. Mais cela ne ressemblait pas à des diamants. On aurait dit des cailloux, de vilains cailloux.

— Alors, il vous les a montrés? fit le chef de police Sugden.

— Oui.

— Il ne vous en a donné aucun?

Pilar secoua vivement la tête.

— Non. Je pensais qu'un jour, il m'en ferait cadeau... si j'étais bien gentille avec lui et si je montais souvent le voir. D'habitude, les vieux messieurs aiment les jeunes filles.

– Savez-vous que ces diamants ont été volés? l'interrompit Johnson.

Pilar écarquilla ses beaux yeux noirs.

– Volés?

– Oui. Savez-vous qui peut les avoir enlevés?

– Oh! Oui. Ce ne peut être que Horbury.

– Qu'est-ce qui vous fait dire cela?

– Parce que je lui trouve l'air d'un voleur. Ses yeux vont de tous les côtés, il marche sans faire de bruit et écoute aux portes. On dirait un chat. Et, vous savez, tous les chats sont des voleurs!

– Hum! fit le colonel Johnson. Nous reviendrons sur ce sujet. Il paraît que toute la famille se trouvait réunie dans la chambre de votre grand-père cet après-midi, et que... des paroles vives furent échangées.

– Oui, sourit Pilar. C'était bien amusant. Grand-père les a tous mis en colère.

– Oh! cela vous a amusée? Pas possible?

– Si, j'aime voir les gens se disputer. Mais ici, en Angleterre, on ne se met pas en colère comme en Espagne. Là-bas, on tire son couteau, on jure, on crie. Ici, les hommes deviennent rouges et serrent les lèvres.

– Vous souvenez-vous de la conversation qui eut lieu chez Mr Lee?

– Pas très bien. Grand-père leur a dit qu'ils n'étaient bons à rien... qu'ils n'avaient pas d'enfants, que je valais mieux que n'importe lequel d'entre eux. Il m'aimait beaucoup, mon grand-père.

– A-t-il parlé d'argent et de testament?

– De testament! Non, je ne crois pas. Je ne me souviens pas.

– Que se passa-t-il ensuite?

– Tous s'en allèrent... excepté Hilda, la grosse, la femme de David. Elle demeura après les autres.

– Ah?

– Oui. David paraissait bizarre. Il tremblait des

pieds à la tête et il était pâle. On l'aurait cru malade.

– Qu'avez-vous fait après?

– Je suis descendue rejoindre Stephen et nous avons dansé au son du gramophone.

– Avec Stephen Farr?

– Oui. Il vient de l'Afrique du Sud... c'est le fils de l'associé de grand-père. Lui aussi était très bel homme. Il est grand, bronzé et il a de beaux yeux.

– Où étiez-vous au moment du crime? demanda Johnson.

– Après avoir passé un moment dans le salon avec Lydia, je suis montée dans ma chambre pour me repoudrer un peu, avant de retourner danser avec Stephen. Et soudain, de très loin, est parvenu un cri. Tout le monde s'était précipité dans l'escalier. J'ai couru rejoindre les autres. On essayait de briser la porte de grand-père. Harry et Stephen en sont venus à bout. Tous deux sont très forts.

– Et après?

– La porte s'est abattue à l'intérieur et alors... tous nous avons regardé dans la chambre. Quel horrible spectacle! Tout était brisé et sens dessus dessous. Grand-père baignait dans son sang. Il avait la gorge tranchée... comme ceci... juste sous l'oreille...

De la main, elle esquissa un geste rapide sur son propre cou.

– La vue de ce sang ne vous a pas rendue malade? s'enquit Johnson.

– Non. Pourquoi voulez-vous que cela me rende malade? Quand une personne est tuée, il y a toujours du sang. Cette fois, il y avait du sang... du sang partout!

– Quelqu'un a-t-il parlé en entrant? intervint Poirot.

Pilar réfléchit:

– David a dit une drôle de phrase... Comment était-ce? « Les meules du Seigneur... » Elle répéta

lentement : « Les meules du Seigneur... » Qu'est-ce
que cela veut dire? Les meules servent à écraser le
grain pour faire de la farine, n'est-ce pas?

– Je vous remercie, miss Estravados, lui dit le
colonel Johnson. Pour le moment, je n'ai pas d'autre
question à vous poser.

Pilar se leva et lança un sourire charmant à chacun
des trois hommes.

– Alors, je m'en vais, dit-elle en sortant.

« Les meules du Seigneur broient lentement... »
récita le colonel Johnson. David Lee a prononcé cette
sentence!

XV

Une fois de plus, la porte s'ouvrit. Le colonel
Johnson leva les yeux. Tout d'abord, il crut reconnaître Harry Lee. Comme Stephen Farr avançait dans la
pièce, il s'aperçut de son erreur.

– Asseyez-vous, monsieur, dit-il.

Stephen prit un siège. Son regard froid et intelligent
étudia les trois hommes.

– Je crains de ne pouvoir vous être bien utile, mais
demandez-moi ce que vous voudrez. Peut-être vau-
drait-il mieux que je vous apprenne tout de suite qui je
suis. Mon père, Ebnezer Farr, fut autrefois l'associé de
Simeon Lee en Afrique du Sud. Je parle d'il y a plus
de quarante ans.

» Mon père me parlait souvent de Simeon Lee... de
sa forte personnalité. Mon père et lui ont travaillé
beaucoup ensemble. Simeon Lee revint en Angleterre
avec une grosse fortune et mon père lui-même s'était
enrichi. Il me disait toujours de ne pas manquer de
voir son vieil ami, si je me rendais un jour en
Angleterre. Comme je lui objectais que Mr Lee ne se
souviendrait pas de lui, mon père se moquait de moi
en disant : « Quand deux hommes ont passé par où

Simeon et moi avons passé, on s'en souvient toute sa vie. » Mon père mourut, il y a deux ans. Cette année, je suis venu en Angleterre pour la première fois et, suivant le conseil de mon père, je suis venu rendre visite à Mr Lee.

Il poursuivit, un léger sourire aux lèvres :

— Je me sentais bien intimidé en arrivant ici, mais j'avais tort. Mr Lee m'accueillit chaleureusement et a même insisté pour que je passe les fêtes de Noël avec sa famille. Je craignais d'être indiscret et j'ai refusé, mais il n'a rien voulu entendre... Tous ont été extrêmement gentils pour moi... Mr et Mrs Alfred Lee se sont montrés on ne peut plus aimables. Je suis très ennuyé qu'il leur arrive une histoire pareille.

— Depuis combien de temps êtes-vous ici, Mr Farr?

— Je suis arrivé hier.

— Avez-vous vu Mr Lee aujourd'hui?

— Oui. Je suis allé bavarder avec lui ce matin. Il était d'excellente humeur et voulait entendre les nouvelles de là-bas, des villes et des gens qu'il avait connus.

— C'est la dernière fois que vous l'avez vu?

— Oui.

— Vous a-t-il dit qu'il conservait dans son coffre-fort une quantité de diamants bruts?

— Non. (Avant que son interlocuteur pût intervenir, Stephen ajouta :) Voulez-vous dire que le meurtre a été commis pour s'emparer des diamants?

— Nous ne pouvons encore rien affirmer, dit Johnson. Pour en revenir aux événements de ce soir, voulez-vous me donner l'emploi exact de votre temps après le dîner?

— Bien sûr. Après que les dames eurent quitté la salle à manger, je suis resté prendre un verre de porto. Puis, comprenant que les frères Lee voulaient discuter affaires et que ma présence pouvait les gêner, je me suis excusé et suis sorti.

— Et qu'avez-vous fait alors?

Stephen Farr se renversa sur le dossier de sa chaise. De l'index, il se caressa la joue. Il répondit d'un air placide :

— Je... je me suis rendu dans une grande pièce au parquet bien lisse... la salle de bal. Il s'y trouvait un gramophone, avec des disques de musique de danse.

— Vous espériez que quelqu'un viendrait vous y rejoindre? suggéra Poirot.

Un sourire effleura les lèvres de Stephen Farr.

— C'est possible. On espère toujours.

Et il découvrit ses dents blanches en un rire joyeux.

— La señorita Estravados est très jolie, remarqua Poirot.

— C'est de beaucoup la plus jolie femme que j'aie vue depuis mon arrivée en Angleterre, répondit Stephen.

— Miss Estravados est-elle venue vous rejoindre dans la salle de bal? demanda le colonel Johnson.

— Non. J'attendais encore lorsque le vacarme s'est produit là-haut. J'ai couru vers le vestibule et j'ai monté l'escalier quatre à quatre pour voir ce qui se passait. J'ai aidé Harry Lee à enfoncer la porte.

— C'est tout ce que vous pouvez nous dire?

— Absolument tout.

Hercule Poirot se pencha en avant :

— Je crois, Mr Farr, que, si vous le vouliez, vous pourriez nous renseigner sur bien des points.

— Comment? fit Stephen interloqué.

— Vous pouvez évoquer une chose très importante dans le cas qui nous occupe... le caractère de Mr Lee. Votre père, disiez-vous, parlait beaucoup de son ami. Quel genre d'homme était Simeon Lee?

— Je vois ce que vous désirez savoir. Comment était Simeon Lee dans sa jeunesse? Dois-je vous parler en toute franchise?

— Je vous en prie.

— Eh bien, tout d'abord, laissez-moi vous dire que

Simeon Lee n'était pas d'une très haute moralité. Ce n'était certes pas un escroc, mais bien des fois il frisa l'illégalité. Il possédait beaucoup de charme et se montrait d'une générosité étonnante. Jamais on ne faisait appel en vain à lui dans l'adversité. Il buvait, mais sans exagération, il plaisait aux femmes et avait un caractère très gai. Toutefois, lorsqu'on lui avait manqué, il se vengeait tôt ou tard. Mon père le comparait à l'éléphant « qui n'oublie jamais » et il m'a cité des cas où son vieil ami a attendu plusieurs années pour assouvir sa rancune.

— Il n'est sans doute pas le seul de cette espèce, grommela le superintendant Sugden. Ne connaîtriez-vous pas quelqu'un à qui Simeon Lee aurait joué un mauvais tour en Afrique du Sud? N'existe-t-il pas dans son passé une histoire qui aurait son épilogue dans le crime d'aujourd'hui?

— Il avait certainement des ennemis étant donné son caractère. Mais j'ai questionné Tressilian, et ce soir aucun étranger ne s'est trouvé à l'intérieur de la maison, ni dans les alentours.

— A l'exception de vous, Mr Farr, lui dit Poirot.

Stephen Farr se retourna vivement vers le détective.

— Tiens! tiens! Je serais l'étranger sur qui pèsent les soupçons? Vous faites fausse route. Dans le passé de Simeon Lee vous ne trouverez aucune querelle entre lui et mon père qui ait pu décider le fils d'Eb à venir en Angleterre venger son papa! Non! je suis venu ici par curiosité. De plus, je puis vous fournir un excellent alibi. Je faisais marcher le gramophone et n'ai cessé de changer les disques. Pendant un morceau je n'aurais jamais eu le temps de monter l'escalier... de couper la gorge du vieux Simeon, de laver le sang sur mes mains et de redescendre avant l'arrivée des autres. Quelle ânerie!

Le colonel calma le jeune homme:

— Nous ne vous soupçonnons nullement, Mr Farr.

– Le ton de M. Poirot ne m'a pas plu du tout, expliqua Stephen.

– C'est bien dommage! dit Hercule Poirot en souriant gentiment.

Stephen Farr lui lança un regard furibond. Et le colonel Johnson jugea bon d'intervenir :

– Mr Farr, je vous remercie. Ce sera tout pour le moment. Naturellement, vous ne devez pas quitter cette maison.

Stephen acquiesça d'un signe de tête. Il se leva et sortit d'un pas léger.

La porte refermée, Johnson remarqua :

– Voilà X... notre inconnu. Son histoire paraît assez exacte, mais encore... Il peut avoir volé les diamants, s'être introduit dans cette maison sous un faux prétexte. Prenez ses empreintes, Sugden, et voyez s'il est déjà connu de la police.

– Je les ai prises, annonça le superintendant avec un sourire.

– Parfait! Vous n'oubliez rien, Sugden. Sans doute avez-vous pris toutes les dispositions habituelles?

Sugden énuméra sur ses doigts :

– J'ai donné des ordres pour que l'on contrôle les appels téléphoniques, l'heure à laquelle Horbury est sorti... les allées et venues des domestiques... les situations financières des membres de la famille... J'ai fait fouiller la maison pour retrouver l'arme du crime, les taches de sang sur les vêtements... et aussi les diamants, qui ne sont peut-être pas loin.

– Il me semble que vous avez songé à tout, Sugden, approuva Johnson, qui se tourna vers Poirot et lui demanda : Vous ne voyez rien d'autre?

Hercule Poirot secoua la tête :

– Il me semble que votre chef de police s'y entend admirablement.

– Ce ne sera pas une mince affaire que de fouiller cette grande maison pour retrouver les diamants, fit observer Sugden, l'air soucieux. De ma vie je n'ai vu tant de vases, de statues, de babioles et de tableaux aux murs!

– Les cachettes ne manquent certes pas! acquiesça Poirot.

– Alors, Poirot, vous ne voyez aucune suggestion à formuler? demanda le colonel Johnson, dépité comme quelqu'un dont le chien refuse de faire le beau.

– Voulez-vous me permettre d'agir à ma guise? demanda le détective belge.

– Bien sûr... bien sûr, dit Johnson.

– Comment cela, monsieur Poirot? s'inquiéta Sugden.

– Je voudrais converser... très souvent... avec les membres de la famille Lee.

– Vous désirez les interroger à nouveau? s'enquit le colonel Johnson, intrigué.

– Non, pas les interroger... mais m'entretenir librement avec eux.

– Pourquoi? demanda Sugden.

Hercule Poirot fit un geste emphatique de la main :

– Au cours d'une conversation, certains détails s'éclaircissent. Un individu porté à beaucoup parler ne peut cacher longtemps la vérité.

– Vous pensez que quelqu'un ment? fit Sugden.

– Mon cher, soupira Poirot, tout le monde ment... plus ou moins. Il est indispensable de séparer les mensonges légers de ceux d'une importance réelle.

– Je ne puis croire que le coupable soit un des membres de la famille Lee, s'écria le colonel Johnson. Voyons : nous sommes en présence d'un meurtre sanglant, brutal, et qui avons-nous comme suspects? Alfred Lee et sa femme... tous deux charmants et bien élevés. George Lee, un membre du Parlement, la respectabilité en personne. Son épouse? Une joli femme, très moderne. Quant à David Lee, il a l'air d'un homme paisible et, d'après son frère Harry, il ne peut supporter la vue du sang. Sa femme paraît être une personne douce et raisonnable... Restent la nièce

118

espagnole et le jeune Sud-Africain. Les Espagnols ont le sang chaud, mais je ne vois pas cette jolie créature tranchant la gorge du vieux Simeon... d'autant plus qu'elle avait toutes les raisons de le laisser en vie... du moins jusqu'à ce qu'il ait signé un nouveau testament. Stephen Farr est un meurtrier possible... C'est peut-être un voleur professionnel qui s'est introduit ici pour enlever les diamants. Le vieux Lee aurait découvert le vol et Farr lui aurait tranché la gorge pour l'empêcher de parler. Son histoire de gramophone ne me semble pas un alibi suffisant.

Poirot hocha la tête.

– Mon cher ami, dit-il, comparez le physique de Mr Stephen Farr et celui du vieux Simeon Lee. Si Mr Farr avait décidé de tuer le vieillard, il l'eût fait en une minute... Simeon Lee n'aurait pu se défendre et lutter contre lui. Imaginez-vous ce frêle vieillard et ce magnifique spécimen d'homme aux prises l'un avec l'autre, renversant des fauteuils et brisant des potiches? C'est inadmissible!

Le colonel Johnson darda sur Poirot un regard curieux :

– Vous voulez dire que c'est un homme faible qui a tué Simeon Lee?

– Ou une femme! dit le superintendant.

XVI

Le colonel Johnson consulta sa montre.

– Ma présence ici est désormais inutile, Sugden, vous avez l'affaire bien en main. Oh! attendez! Nous devrions appeler le maître d'hôtel. Je sais que vous l'avez interrogé, mais il serait intéressant d'avoir la confirmation de certains renseignements données par les autres sur leurs occupations à l'heure du crime.

Tressilian entra d'un pas lent. Le colonel l'invita à s'asseoir.

– Merci, monsieur. Je m'assoirai volontiers. Je me sens très fatigué... Mes jambes, monsieur, et ma tête...

– Evidemment, vous avez été bouleversé hier, dit doucement Poirot.

Le maître d'hôtel frissonna.

– Une chose aussi horrible... dans cette maison... d'ordinaire si calme et si tranquille!

– L'ordre régnait, certes, dans cette maison, observa Poirot, mais on n'y vivait peut-être pas très heureux?

– Ne me faites pas dire...

– Autrefois, quand toute la famille vivait ici, le bonheur y régnait-il?

– Ce n'était pas ce qu'on pourrait appeler une famille bien unie, monsieur, répondit lentement, le vieux serviteur.

– La défunte Mrs Lee fut-elle longtemps malade?

– Oui, monsieur, elle était d'une santé très fragile.

– Ses enfants l'aimaient-ils beaucoup?

– Mr David vouait une très grande affection à sa mère... il se montrait avec elle gentil comme une fille. Lorsqu'elle mourut, il quitta la maison.

– Et Mr Harry? Comment se conduisait-il?

– Il a toujours été turbulent, mais bon cœur. Cela m'a retourné de le revoir à la porte. Il a sonné deux fois... toujours aussi impatient! Je cours à la porte. J'ouvre et je crois me trouver en face d'un inconnu, quand une voix familière me dit : « Voyons! Mais c'est toujours ce vieux Tressilian. » C'était Harry, toujours le même!

– Je comprends que cela vous ait donné une émotion, lui dit gentiment Poirot.

Les joues du vieux domestique se colorèrent légèrement :

– Parfois, monsieur, on dirait que le passé n'est pas le passé! Il me semble qu'on a joué à Londres une pièce sur ce sujet. Il y a du vrai là-dedans! A certains

moments il semblerait que les mêmes faits se repro-
duisent. J'entends la sonnette de la porte. Je vais
y répondre et je vois Mr Harry... alors que c'est
Mr Farr... je ressens la même impression que la
première fois...

– Voilà qui est intéressant, très intéressant, dit
Poirot.

Tressilian tourna vers lui un regard reconnaissant.

Impatient, Johnson s'éclaircit la gorge et se chargea
de diriger la conversation.

– Je voudrais contrôler certains points, dit-il. Lorsque le bruit a commencé là-haut, Mr Alfred Lee et
Mr Harry se trouvaient dans la salle à manger. Est-ce
exact?

– Je ne pourrais vous le dire, monsieur. Tous ces
messieurs s'y trouvaient lorsque je leur ai servi le
café... c'est-à-dire un quart d'heure avant.

– Mr George Lee téléphonait. Pouvez-vous m'en
donner confirmation?

– Je crois que quelqu'un téléphonait. La sonnerie
du téléphone donne dans mon office et quand quelqu'un prend le récepteur pour appeler, il se produit
une petite vibration. Je me souviens de l'avoir entendue, mais ensuite je n'y ai pas prêté attention.

– A quel moment était-ce?

– Je ne pourrais le dire, monsieur, je sais seulement
que c'était après que j'eus servi le café.

– Savez-vous où se trouvaient les femmes pendant
la lutte chez Mr Lee?

– Mrs Alfred était dans le salon quand j'ai enlevé le
plateau du café, juste une minute ou deux avant
d'entendre le cri là-haut.

– Qu'y faisait-elle? demanda Poirot.

– Elle se tenait près de la fenêtre, monsieur. De la
main, elle écartait le rideau pour regarder dehors.

– Et elle était seule au salon?

– Oui, monsieur.

– Où étaient les autres dames?

– Je ne pourrais le dire, monsieur.

– Vous ne savez pas du tout où se trouvaient les autres personnes de la famille?

– Mr David jouait du piano dans la pièce voisine du salon.

– Vous l'avez entendu jouer?

– Oui, monsieur. (Le vieux serviteur frissonna :) C'était comme un avertissement, monsieur. J'y ai pensé après. Il jouait *La Marche funèbre*. Sur le moment, cela m'a produit un drôle d'effet.

– Voilà qui est certes bien curieux, dit Poirot.

– En ce qui regarde le dénommé Horbury, le valet de chambre, dit le colonel, pouvez-vous affirmer sous serment qu'il est sorti à 8 heures?

– Oh oui! monsieur. Il est sorti tout de suite après l'arrivée de Mr Sugden. Je m'en souviens fort bien, car il a cassé une tasse.

– Horbury a cassé une tasse..., répéta Poirot.

– Oui, monsieur, une tasse du service à café... en vieux Worchester. Voilà onze ans que je les lave et, avant ce soir, il n'en manquait pas une.

– Que faisait Horbury avec ces tasses à café? demanda Poirot.

– Ma foi, monsieur, il n'avait nul besoin de les toucher. Il en tenait une comme s'il l'admirait et, au moment où j'ai parlé de la visite de Mr Sugden, il l'a laissé tomber à terre.

– Avez-vous dit Mr Sugden, ou avez-vous parlé de la police?

– Je me rappelle lui avoir dit que le superintendant de la police du Middleshire était là.

– Et Horbury à lâché la tasse, dit Poirot.

– Voilà qui paraît bizarre, murmura le colonel Horbury vous a-t-il posé des questions sur la visite du superintendant?

– Oui, il m'a demandé ce qu'il venait faire. J'ai répondu qu'il venait quêter pour l'orphelinat de la police et qu'il était monté voir Mr Lee.

– Ce renseignement parut-il le satisfaire?

– Maintenant que vous en parlez, monsieur, je me souviens qu'il a changé aussitôt et il a même dit que Mr Lee était un homme généreux... qui avait le cœur sur la main... Ensuite il est sorti.

– Par où?

– Par la porte de service, monsieur.

– C'est exact, monsieur, intervint Sugden, il a passé par la cuisine où la cuisinière et la petite bonne l'ont vu, et il est sorti par la porte de derrière.

– Ecoutez-moi, Tressilian, dit Johnson, et réfléchissez avant de répondre. Horbury n'aurait-il pu, par un moyen quelconque, revenir à la maison sans être vu de personne?

Le vieux serviteur secoua la tête.

– Je ne vois pas par où il aurait pu entrer, monsieur. Toutes les portes sont fermées à clef.

– Supposez qu'il ait eu une clef.

– Les portes sont également verrouillées.

– Alors, comment fera-t-il pour rentrer?

– Il a la clef de la porte de service, monsieur. Tous les serviteurs passent par là.

– Eh bien, il aurait pu revenir par là.

– Pas sans traverser la cuisine, monsieur. Et il y a toujours quelqu'un dans la cuisine jusqu'à 9 heures et demie ou 10 heures moins le quart.

– Voilà qui paraît concluant, dit le chef constable. Merci, Tressilian.

Le vieux domestique se leva et, en saluant, quitta la pièce. Il reparut au bout d'une minute.

– Horbury vient de rentrer, monsieur. Voulez-vous le voir?

– Oui, s'il vous plaît. Faites-le venir tout de suite.

La physionomie de Sydney Horbury ne plaidait pas en sa faveur. L'air embarrassé, il jetait des regards furtifs aux personnes présentes.

– Etes-vous Sydney Horbury? lui demanda Johnson.

– Oui, monsieur.

– Valet de chambre du défunt Mr Lee?

– Oui, monsieur. (Il reprit ses manières onctueuses.) C'est affreux, n'est-ce pas, monsieur. J'ai cru tomber à la renverse quand Gladys m'a annoncé la nouvelle. Pauvre vieux monsieur...

– Contentez-vous de répondre à mes questions, je vous en prie, l'interrompit Johnson.

– Bien, monsieur.

– A quelle heure êtes-vous sorti ce soir, et où êtes-vous allé?

– J'ai quitté la maison un peu avant 8 heures, monsieur, et je suis allé au cinéma qui se trouve à cinq minutes d'ici voir jouer *L'Amour à Séville*.

– Vous a-t-on vu au cinéma?

– La dame qui tient la caisse me connaît, monsieur, ainsi que l'ouvreuse. De plus, je m'y trouvais en compagnie de mon amie à qui j'avais donné rendez-vous.

– Ah! Comment se nomme-t-elle?

– Doris Buckle, monsieur. Elle travaille aux Laiteries réunies, 23, Markham Road, monsieur.

– Bien. Nous contrôlerons ces renseignements. Etes-vous rentré directement?

– Non. Je suis allé d'abord reconduire mon amie. Puis je suis venu tout droit ici. Je dis la vérité, monsieur. Je n'ai rien à voir dans ce crime. J'étais...

– Personne ne vous accuse, lui dit le colonel Johnson d'un ton bienveillant.

– Bien sûr, monsieur. Mais c'est ennuyeux quand un meurtre arrive chez les gens que vous servez.

– Naturellement. Etiez-vous depuis longtemps au service de Mr Lee?

– Un peu plus d'un an, monsieur.

– Cette place vous plaisait-elle?

– Oui, monsieur. J'en étais satisfait. On me payait bien. Mr Lee n'était pas toujours commode, mais je supportais son caractère difficile.

– Vous avez peut-être une certaine expérience des invalides? intervint le chef de police.

– Oh oui! monsieur. J'ai été au sercice du major West et de l'honorable Jasper Finch...

– Vous expliquerez tout cela à Sugden plus tard, dit le colonel Johnson. Je voudrais savoir à quelle heure vous avez vu Mr Lee vivant pour la dernière fois.

– Vers 7 heures et demie, monsieur. Tous les soirs, à 7 heures, je portais à mon maître un léger repas et je le préparais pour le lit. Ensuite, il restait dans son fauteuil, en robe de chambre, à côté du feu, jusqu'à ce que l'envie lui prenne de se coucher.

– A quelle heure environ?

– Cela dépend, monsieur. Quelquefois, il se couchait de bonne heure, à 8 heures... s'il se sentait fatigué. D'autres soirs, il veillait jusqu'à 11 heures.

– Vous prévenait-il lorsqu'il voulait se coucher?

– Oui, monsieur, il sonnait.

– Et vous l'aidiez à se mettre au lit?

– Oui, monsieur.

– Mais ce soir, vous étiez libre...

– Oui, monsieur, le vendredi est mon jour de sortie.

– Et comment aurait fait Mr Lee pour se coucher?

– Il aurait sonné et Tressilian ou Walter serait venu l'aider.

– Etait-il impotent... ou pouvait-il se mouvoir seul?

– Il se déplaçait seul, mais assez difficilement. Il était arthritique et souffrait de rhumatismes, monsieur, et certains jours plus que d'autres.

– Allait-il dans d'autres pièces pendant la journée?

– Non, monsieur. Il préférait demeurer dans sa chambre à coucher, une pièce spacieuse et bien éclairée.

– Vous disiez que Mr Lee avait dîné à 7 heures?

– Oui, monsieur. J'ai ensuite enlevé le plateau et placé la bouteille de sherry et deux verres sur le bureau.

– Pourquoi?

– Par ordre de Mr Lee.

– Etait-ce dans ses habitudes de vous demander le sherry?

– De temps à autre. Il était interdit de monter voir Mr Lee le soir, à moins qu'il n'invitât un des siens. Il préférait passer ses soirées seul, mais quelquefois, il me faisait descendre pour inviter Mr ou Mrs Alfred, ou tous les deux, à monter après dîner.

– Mais ce soir, il ne vous a pas chargé de prier un membre de sa famille de venir lui tenir compagnie?

– Non. Il ne me donna aucun message pour eux, monsieur.

– Il n'attendait donc personne de sa famille?

– A moins qu'il n'ait prié personnellement l'un d'eux de monter.

– Bien sûr.

– Lorsque j'eus mis de l'ordre dans la chambre, reprit Horbury, j'ai souhaité une bonne nuit à Mr Lee et je l'ai quitté.

– Avez-vous arrangé le feu avant de descendre? demanda Poirot.

Le valet hésita.

– Ce n'était pas nécessaire, monsieur. Il flambait très bien.

– Est-ce que Mr Lee aurait pu le tisonner lui-même?

– Oh non, monsieur! Mr Harry avait dû ajouter du bois dans le feu.

– Mr Harry Lee se trouvait donc dans la chambre de son père lorsque vous êtes monté avec le plateau du dîner.

– Oui, monsieur. Il en est sorti lorsque j'y suis entré.

– Quelle était l'attitude des deux hommes, autant que vous avez pu en juger?

– Mr Harry Lee semblait de très bonne humeur, monsieur. Il rejetait la tête en arrière et riait aux éclats.

– Et le vieux Mr Lee?

– Il me parut calme et plutôt pensif.

– Bien. Je voudrais encore vous parler d'autre chose, Horbury. Pouvez-vous nous dire ce que sont devenus les diamants que Mr Lee gardait dans son coffre-fort?

– Des diamants, monsieur? Je n'ai jamais vu de diamants.

– Mr Lee gardait dans sa chambre un lot de diamants bruts. Vous l'avez sûrement vu les tenir dans sa main?

– Ces drôles de petits cailloux, monsieur? Oui, une ou deux fois je l'ai vu jouer avec ces pierres. Mais j'étais loin de me douter que c'étaient des diamants. Il les a montrés à la jeune demoiselle étrangère hier... ou avant-hier.

– Ces pierres ont été volées, dit brusquement le colonel Johnson.

– J'espère, monsieur s'écira Horbury, que vous ne me soupçonnez pas de les avoir prises?

– Je ne vous accuse nullement, dit Johnson. Mais pouvez-nous nous fournir quelques renseignements capables de nous aider?

– Au sujet des diamants, monsieur? Ou sur le meurtre?

– Sur les deux.

Horbury réfléchit. Il passa sa langue sur ses lèvres pâles et lança autour de lui des regards furtifs.

– Je ne vois rien à dire, monsieur.

– Voyons, lui demanda Poirot d'une voix encourageante, au cours de votre service, n'auriez-vous pas surpris quelques bribes de conversation qui pourraient nous être utiles?

– Non, monsieur, je ne crois pas. Je sais qu'il existait une sorte de malentendu entre Mr Lee et quelques-uns des membres de la famille...

– Expliquez-vous.

– J'ai cru comprendre que Mr Alfred ressentait un peu de dépit du retour de Mr Harry Lee. Son père et lui ont échangé des mots aigres-doux à ce sujet.

– Cet entretien avec Mr Alfred eut-il lieu après qu'il eut découvert le vol des diamants? lui demanda vivement Poirot.

– Oui, monsieur.

Poirot se pencha en avant.

– Horbury, dit-il doucement, il me semblait que vous ignoriez le vol des diamants et que c'est nous qui venions de vous l'apprendre. Alors, comment savez-vous que Mr Lee eut cette conversation avec son fils après qu'il eût constaté le vol?

Horbury devint rouge brique.

– A quoi bon essayer de mentir! lui dit Sugden. Allons, parlez! Quand l'avez-vous su?

– J'ai entendu mon maître en parler à quelqu'un au téléphone, répondit le domestique d'un air sournois.

– Etiez-vous dans la chambre?

– Non, monsieur. A la porte. Je ne pouvais pas bien entendre... je n'ai saisi qu'un mot ou deux.

– Qu'avez-vous entendu exactement? lui demanda Poirot.

– J'ai surpris les mots *vol* et *diamants*... et quelque chose comme *ce soir à 8 heures.*

Le chef de police Sugden acquiesça d'un signe de tête.

– C'est à moi qu'il parlait, mon garçon. Vers 5 h 10, n'est-ce pas?

– Oui, c'est cela, monsieur.

– Lorsque vous êtes rentré dans la chambre, votre maître paraissait-il inquiet?

– Un peu, monsieur. Il avait l'air ennuyé.

– Si bien que vous avez pris peur, hein?

– Oh! Mr Sugden, ne dites pas cela. Je n'ai pas touché aux diamants. Vous ne pouvez m'accuser de les avoir pris. Je ne suis pas un voleur.

– C'est à voir! décréta le superintendant.

Il lança un coup d'œil interrogateur à son supérieur, et Johnson lui ayant fait un signe de tête, il ajouta :

– Cela suffit, mon garçon. Nous n'avons plus besoin de vous ce soir.

En hâte, le serviteur sortit du bureau.

Sugden félicita Poirot.

– Joli travail, monsieur Poirot! Vous lui avez tendu un piège et il s'est laissé prendre. Je ne sais si cet individu est un voleur, en tout cas je certifie que c'est un menteur de la pire espèce.

– Quel personnage répugnant! fit Poirot.

– Je suis bien de votre avis, dit Johnson. Que conclure de sa déposition?

– J'y vois trois hypothèses, déclara Sugden : 1º Horbury est un voleur et un assassin; 2º Horbury est un voleur et pas un assassin; 3º Horbury est innocent. Sa déposition me fait pencher pour la première. Il entend son maître téléphoner et comprend que le vol est découvert. Les manières de son maître lui donnent à penser qu'on le soupçonne. Dès lors, il trace son plan. Ostensiblement, il sort de la maison à 8 heures pour se préparer un alibi. Mais quoi de plus facile que de se glisser hors d'un cinéma et de revenir ici sans se faire voir? Je sais qu'il était en compagnie d'une femme. Il doit avoir bien confiance en elle, car elle peut le vendre. Je verrai demain ce que je puis en tirer.

— Comment aurait-il fait pour pénétrer dans la maison? demanda Poirot.

— Cela paraît compliqué, admit Sugden. Cependant une des domestiques a pu lui ouvrir une porte de côté.

Poirot leva les sourcils et prononça d'un ton railleur :

— Il se met ainsi à la merci de deux femmes? Une femme, c'est déjà un grand risque, mais deux... eh bien, moi, je trouve cela fantastique!

— Certains criminels ne doutent de rien, observa Sugden. Prenons maintenant la seconde hypothèse : Horbury s'empare des diamants, les sort de la maison dans la soirée pour les remettre à un complice. Tout va bien jusque-là. Reste maintenant à prouver qu'une autre personne avait choisi ce soir même pour tuer Mr Lee, et une autre n'ayant rien à voir avec le vol des diamants. Voilà une coïncidence plutôt bizarre! Hypothèse n° 3 : Horbury est innocent du vol et du meurtre. A nous de découvrir la vérité!

Etouffant un bâillement, le colonel Johnson consulta sa montre et se leva.

— Ma foi, nous avons suffisamment travaillé pour cette nuit. Avant de partir, jetons un coup d'œil dans le coffre-fort. Ce serait drôle si les diamants s'y trouvaient.

Mais les diamants n'y étaient pas. Ils découvrirent la combinaison des chiffres dans un petit carnet placé dans la poche de la robe de chambre du mort, suivant le renseignement fourni par Alfred Lee. Le coffre-fort renfermait un sac vide en peau de chamois et divers papiers, dont un seul offrait quelque intérêt.

C'était un testament datant d'une quinzaine d'années. Outre différents legs sans importance, les volontés testamentaires de Simeon Lee étaient des plus simples. La moitié de sa fortune allait à Alfred Lee. L'autre moitié devait être divisée en parts égales entre les autres enfants : Harry, George, David et Jennifer.

QUATRIÈME PARTIE

25 DÉCEMBRE

I

Sous le brillant soleil de cet après-midi de Noël, Poirot se promenait dans le parc de Gorston au milieu duquel se dressait l'habitation, solide bâtisse carrée sans aucune prétention architecturale.

Le long de la façade exposée au midi s'étendait une large terrasse bordée d'une haie de buis taillé. Des plantes de rocaille croissaient entre les dalles et de larges vasques surélevées étaient transformées en jardins miniatures.

Poirot les étudiait d'un air satisfait.

– C'est bien imaginé, ça! murmura-t-il.

Levant les yeux, il aperçut deux personnes qui se dirigeaient vers la pièce d'eau, à environ trois cent mètres de lui. Il reconnut aisément la silhouette de Pilar, et, tout d'abord, il crut que l'autre promeneur était Stephen Farr, mais il constata bientôt qu'il s'agissait de Harry Lee. Celui-ci prêtait une oreille attentive aux propos de sa jolie nièce. De temps à autre, il rejetait la tête en arrière et éclatait de rire, puis il se penchait vers la jeune fille pour mieux l'écouter.

« En voilà un qui ne porte guère le deuil », se dit Poirot.

Un léger bruit derrière lui le fit se retourner. Magdalene Lee. Elle aussi, regardait les deux promeneurs.

132

Détournant la tête, elle adressa à Poirot un sourire charmant.

– Quelle journée splendide! On a peine à croire aux horreurs de cette nuit. N'est-ce pas, monsieur Poirot?

– En effet, madame.

– Je n'avais encore jamais été mêlée à un drame, soupira Magdalene. J'ai... j'ai grandi tout simplement. Je suis restée enfant trop longtemps... Ce n'est pas une bonne chose...

(Elle soupira de nouveau et ajouta :)

– Pilar, elle, garde tout son sang-froid. Je la trouve extraordinaire! Sans doute, est-ce le tempérament espagnol... Tout cela paraît bizarre! N'est-ce pas, monsieur Poirot?

– Que trouvez-vous de bizarre, madame?

– Son arrivée soudaine dans cette maison... comme si elle tombait du ciel.

– Il paraît que Mr Lee la recherchait depuis quelque temps, objecta Poirot. Il a correspondu au sujet de sa petite-fille avec le consul de Madrid et le vice-consul d'Aliquara, où est morte sa mère.

– Il n'en a jamais soufflé mot... pas même à Alfred et à Lydia... qui ont été les premiers surpris.

– Ah! fit Poirot.

Magdalene s'approcha de lui et Poirot respira le délicat parfum dont elle se servait.

– Monsieur Poirot, vous ignorez peut-être que le mari de Jennifer est mort peu de temps après leur mariage et qu'à l'époque une histoire mystérieuse a couru à propos de ce décès. Alfred et Lydia sont au courant... Un scandale, paraît-il...

– Voilà qui est bien triste, murmura Poirot.

– Mon mari trouve – et je suis de son avis – que la famille devrait être informée des antécédents de cette petite... Si son père était un assassin...

Magdalene fit une pause, mais Hercule Poirot demeura silencieux. Il semblait perdu dans la contemplation des beautés qu'offrait encore le parc de Gorston dans la saison d'hiver.

– Je ne puis m'empêcher de voir une indication dans la façon dont mon beau-père a été tué, reprit Magdalene. Ce crime n'offre rien... d'anglais.

Hercule Poirot se tourna lentement vers elle et son œil gris interrogateur rencontra celui de la jeune femme.

– Vous y verriez plutôt la manière espagnole?

– Les Espagnols sont cruels, n'est-ce pas? fit Magdalene. (Et elle ajouta, avec l'air effrayé d'une enfant :) Songez à ces courses de taureaux...

– Alors, selon vous, la señorita Estravados aurait tranché la gorge de son grand-père? fit Poirot, moitié rieur.

– Oh non! monsieur Poirot, s'exclama Magdalene indignée. Je n'ai jamais dit pareille chose.

– J'ai sans doute mal compris.

– Il me semble pourtant qu'on peut la suspecter. Par exemple, hier soir, Pilar a ramassé quelque chose sur le parquet dans la chambre de son grand-père.

Hercule Poirot changea d'attitude.

– Elle a ramassé quelque chose dans la chambre de son grand-père, hier soir, dites-vous?

– Oui, répondit Magdalene, tordant ses jolies lèvres en un rictus mauvais. Aussitôt rentrée dans la chambre, elle a jeté un regard autour d'elle et, croyant qu'on ne la voyait pas, elle s'est baissée pour ramasser un objet. Mais le policier avait remarqué son geste et lui a fait rendre ce qu'elle tenait dans la main.

– Qu'avait-elle ramassé? Le savez-vous, madame?

– Non, je ne me trouvais pas assez près d'elle, dit Magdalene, un note de regret dans la voix. Mais c'était quelques chose de très petit.

Poirot fronça le sourcil.

– Voilà qui m'intéresse au plus haut point, murmura-t-il.

– Je pensais devoir vous mettre au courant de ce

détail. Après tout, nous ne connaissons rien de l'éducation reçue par Pilar et de sa vie en Espagne. Ce bon Alfred accorde sa confiance à tout le monde et Lydia est si insouciante! Mais j'y songe, je ferais bien d'aller l'aider... à écrire les lettres de faire-part.

Un sourire méchant aux lèvres, elle s'éloigna.

Plongé dans ses réflexions, Poirot demeura sur la terrasse.

II

Le superintendant s'avança vers le détective belge.

— Bonjour, monsieur Poirot. Aujourd'hui, on n'éprouve guère l'envie d'exprimer des vœux de joyeux Noël, hein? fit-il d'un air sombre.

— Mon cher collègue, vous ne paraissez guère joyeux, en effet. Pour ma part, je ne voudrais pas vivre beaucoup de Noëls comme celui-ci!... L'enquête fait-elle des progrès?

— J'ai contrôlé pas mal de dépositions, répondit le policier. L'alibi de Horbury tient bon. L'employé de cinéma l'a bien vu entrer en compagnie d'une jeune fille et l'a vu sortir avec elle à la fin de la séance. Il affirme que Horbury n'aurait pu sortir et rentrer pendant le film sans se faire voir. La jeune fille qui l'accompagnait certifie qu'il ne l'a pas quittée de toute la soirée.

Poirot releva les sourcils.

— Que désirez-vous de plus?

— Avec les jeunes filles on ne sait jamais, répliqua Sugden d'un air cynique. Elles mentent sans vergogne pour défendre celui qu'elles aiment.

— Voilà qui prouve leur bon cœur, dit Hercule Poirot.

— Vous jugez la question du point de vue d'un étranger. Et que faites-vous de la justice, monsieur Poirot?

– La justice est une chose bien bizarre, observa le détective. Y avez-vous réfléchi quelquefois?

Sugden le regarda, interloqué :

– Monsieur Poirot, je ne vous saisis pas très bien.

– Voyons, je suis pourtant logique dans mon raisonnement. Mais à quoi bon entamer une discussion? Alors, selon vous, la demoiselle de la laiterie nous cache la vérité?

– Je ne dis pas cela. Je crois, au contraire, qu'elle nous a répondu en toute franchise. Elle est plutôt simple d'esprit et si elle m'avait menti, je m'en serais bien aperçu.

– Vous possédez, certes, une grande expérience, dit Poirot.

– Précisément, monsieur Poirot. Quand on passe sa vie à noter les dépositions des témoins, on discerne tout de suite la vérité du mensonge. Je crois réellement que la déposition de la jeune fille était sincère. Horbury n'a donc pu tuer Mr Lee, ce qui nous ramène aux gens qui se trouvaient dans la maison. (Il poussa un profond soupir.) Un d'eux a commis le crime, monsieur Poirot. Un d'eux. Lequel?

– Possédez-vous de nouvelles informations?

– Oui. Je me félicite des renseignements concernant les coups de téléphone. Mr George Lee a téléphoné à 9 heures moins 2, et cette conversation a duré six minutes.

– Tiens! tiens!

– De plus, on n'a pas donné d'autres communications dans la soirée... pour Westeringham ou ailleurs.

– Très intéressant, fit Poirot. Mr George Lee affirme qu'il finissait juste de téléphoner lorsqu'il entendit le bruit là-haut... En réalité, sa conversation téléphonique était terminée depuis dix minutes. Où se trouvait-il pendant ces dix minutes? Mrs George Lee prétend qu'elle téléphonait. Où était-elle?

– Vous venez de lui parler, monsieur Poirot, observa Sugden.

– Vous faites erreur, mon ami.

– Hein?

– Ce n'est pas moi qui lui parlais, c'est elle qui me parlait!

– Oh!

Sugden, impatient, s'apprêtait à négliger cette nuance; soudain, il en comprit la signification

– Elle vous parlait, dites-vous?

– Oui. Elle est venue me trouver dans cette intention... Elle voulait attirer mon attention sur certains points : d'abord, le caractère anti-anglais du meurtrier... ensuite l'hérédité peut-être indésirable de miss Estravados, du côté paternel... puis, le fait qu'hier soir, miss Estravados a ramassé furtivement un objet sur le parquet de la chambre de Mr Lee.

– Elle vous a parlé de cela?

– Oui. Qu'a ramassé la señorita Estravados dans la chambre de son grand-père?

– Je vous le donne en mille! soupira Sugden. Je vais vous le faire voir. C'est le genre de détail qui fournit la clef du mystère dans les romans policiers. Si vous pouvez en déduire quelque chose, je démisionne de la police!

– Montrez-moi cela.

Sugden tira une enveloppe de sa poche et en versa le contenu sur la paume de sa main. Un faible sourire éclairait son visage.

– Et voilà! Quelle conclusion en tirez-vous?

Sur la large paume du superintendant gisaient un petit triangle de caoutchouc rose et une petite cheville en bois.

Un sourire s'épanouit sur le visage du policier lorsqu'il vit Poirot étudier les objets d'un air perplexe.

– Cela vous apprend-il quelque chose, monsieur Poirot?

– Ce petit bout de caoutchouc semble provenir d'un sac à éponge de toilette ?

– Précisément, il a été enlevé du sac à éponge qui se trouve dans la chambre de Mr Lee. Avec une paire de bons ciseaux on y a découpé un triangle. Mr Lee a pu le faire lui-même, mais je ne comprends pas dans quelle intention. Horbury ne peut me fournir d'explication à ce sujet. Quant à la cheville de bois, elle ressemble aux fiches dont on se sert au jeu du solitaire, mais, d'ordinaire, elles sont en ivoire. Celle-ci a été simplement taillée au couteau dans un morceau de bois blanc.

– Etonnant..., murmura Poirot.

– Conservez-les si le cœur vous en dit, proposa aimablement Sugden. Je n'en ai nul besoin.

– Mon ami, je ne voudrais pas vous en priver ?

– La vue de ces objets ne vous apprend rien de nouveau ?

– Rien, je l'avoue humblement.

– Magnifique ! s'exclama Sugden sur un ton ironique, en les remettant dans sa poche. Nous avançons !

– Mrs George Lee me racontait que la jeune demoiselle espagnole a ramassé ces bagatelles d'un geste furtif, lui dit Poirot. Est-ce vrai ?

Sugden réfléchit un instant.

– Je n'irais pas jusque-là, répondit-il en hésitant. Elle ne paraissait pas coupable... mais... elle s'est baissée... très vite et sans bruit... Je ne sais si vous me comprenez. Elle ignorait que je l'avais vue ! De cela, je suis certain, car elle a sursauté quand je l'ai démasquée.

– Il y avait donc une raison, déclara Poirot, pensif. Mais laquelle ? Ce morceau de caoutchouc n'a servi à rien... et pourtant...

– Ma foi, monsieur Poirot, fatiguez-vous les méninges là-dessus si cela vous chante, s'écria Sugden, d'un ton impatient. Pour ma part, j'ai d'autres chats à fouetter.

— Où en êtes-vous de l'affaire?

Sugden prit son carnet de notes.

— Voici les premiers résultats de mon enquête. Procédant par élimination, j'ai d'abord dressé la liste des gens qui ne peuvent avoir commis le crime.

— Quels sont-ils?

— Alfred et Harry Lee. Ils possèdent un alibi, de même que Mrs Alfred, puisque Tressilian l'a vue dans le salon une minute avant que le vacarme commençât là-haut. Ces trois-là sont hors de cause. Pour les autres, voici la liste que j'ai établie de cette façon pour plus de clarté.

Il tendit son carnet à Poirot.

A l'heure du crime :

George Lee était...?

Mrs George Lee était...?

David Lee était dans la salle de musique et jouait du piano (déposition corroborée par celle de sa femme).

Mrs David Lee était dans la salle de musique (déposition corroborée par celle du mari).

Miss Estravados était dans sa chambre à coucher (aucune preuve.)

Stephen Farr était dans la salle de bal et faisait marcher le gramophone (déposition corroborée par trois des domestiques qui ont entendu la musique de danse).

— Et alors? fit Poirot rendant son carnet à Sugden.

— Alors, répondit le policier, George Lee et sa femme ont pu tuer le vieux Mr Lee. Pilar a également pu le tuer, et aussi Mr ou Mrs David Lee, mais pas les deux.

— Ainsi, vous n'acceptez par leur alibi?

— Jamais de la vie! Mari et femme... dévoués l'un à l'autre! Ils peuvent avoir été complices. Voici comment je vois la chose : quelqu'un jouait du piano dans la salle de musique. David Lee probablement, car il est excellent musicien, mais rien ne prouve que sa femme s'y trouvait avec lui, si ce n'est la déposition des deux époux. D'autre part, Hilda Lee aurait aussi bien pu jouer du piano pendant que son mari montait tuer son père! Leur cas diffère totalement de celui des deux frères dans la salle à manger. Alfred et Harry Lee ne s'aiment pas du tout. Aucun d'eux ne ferait un faux témoignage pour sauver l'autre.

– Et que pensez-vous de Stephen Farr?

– Je le garde encore au nombre des suspects, car cette histoire de gramophone ne constitue qu'un maigre alibi. Toutefois, cette sorte d'alibi a plus de chance d'être vraie qu'un alibi bien net et bien précis, qui, neuf fois sur dix, a été préparé d'avance.

Poirot inclina la tête.

– Je saisis votre pensée. C'est l'alibi d'un homme qui ne s'attend nullement à devoir en fournir un.

– Parfaitement! Et puis je ne crois pas qu'un étranger soit mêlé à ce drame.

– Je suis tout à fait de votre avis, acquiesça vivement Poirot. Il s'agit ici d'une affaire de famille... J'y découvre de la haine... une haine sourde et profonde... (Il agita les mains :) Oh! je ne sais plus... c'est très difficile!

Le chef de police l'écoutait respectueusement, mais ne semblait guère impressionné.

– En effet, monsieur Poirot. Mais nous en viendrons à bout, par l'élimination et la logique. Nous avons vu ceux qui ont eu l'occasion de commettre le crime : George Lee, Magdalene Lee, Hilda Lee, Pilar Estravados et, j'ajouterai, Stephen Farr. Venons-en maintenant au mobile du meurtre. Qui possédait un motif de se débarrasser du vieux Lee? Là encore, nous pouvons écarter certaines personnes. D'abord, miss Estravados. Elle n'héritera sans doute pas d'après le testament actuel! Si le vieux Mr Lee était mort avant la mère de miss Estravados, celle-ci eût reçu la part de sa mère, mais comme Jennifer est morte avant Simeon Lee, sa part revient aux autres membres de la famille. Il était donc de l'intérêt de miss Estravados de voir vivre son grand-père. Il l'aimait déjà beaucoup et lui aurait certainement laissé une grosse part de sa fortune s'il avait pu modifier son testament. Elle avait tout à perdre et rien à gagner par sa mort. Etes-vous de mon avis?

— Parfaitement.

— Reste la possibilité d'une querelle au cours de laquelle Pilar aurait tranché la gorge de Mr Lee, mais cela paraît incroyable. D'abord, ils s'entendaient fort bien et elle ne vivait pas chez son grand-père depuis assez longtemps pour lui tenir une rancune quelconque. Miss Estravados ne semble être pour rien dans cette affaire... à moins que vous ne jugiez cet assassinat tout à fait anti-anglais... selon l'argument fourni par votre amie, Mrs George Lee.

— Ne l'appelez pas mon amie, répliqua vivement Poirot, ou je parlerai de votre amie, miss Estravados, qui vous trouve si beau!

Poirot se réjouit de voir le chef de police perdre une fois de plus sa belle assurance. Sugden devint rouge comme une pivoine. Amusé, Poirot le considéra d'un air malicieux.

— Il est vrai que vous possédez une moustache superbe... Dites-moi, vous servez-vous d'une pommade spéciale? lui demanda Poirot, avec une pointe de convoitise.

— De la pommade? Seigneur! Non.

— Alors, qu'y mettez-vous?

— Ce que j'y mets? Rien. Elle... elle pousse naturellement.

— Vous êtes un favori des dieux, soupira Poirot.

Il caressa sa propre moustache, noire et luxuriante, puis soupira derechef :

– Je ne regarde pourtant pas au prix, mais la teinture l'abîme.

Sugden, peu intéressé par les problèmes capillaires, poursuivit de son air le plus flegmatique :

– Si nous considérons le mobile du crime, nous pouvons écarter Stephen Farr. Il y a peut-être eu autrefois entre son père et Mr Lee une affaire dont le premier a été victime, mais j'en doute. Les façons de Stephen Farr me paraissent trop franches et il parlait des relations entre les deux vieux amis avec trop d'aisance. Nous ne trouverons rien de ce côté.

– Je suis de votre avis, dit Poirot.

– Une autre personne avait les plus grandes raisons de voir Mr Lee en vie... son fils Harry. Il hérite, il est vrai, par le testament de Mr Lee, mais il ne le savait pas. Du moins, il n'en était pas sûr. L'impression générale était que le vieux Mr Lee avait déshérité Harry quand il a quitté la maison. Maintenant, il regagnait la faveur paternelle. Le nouveau testament eût donc été tout à fait à son avantage et il n'était pas assez fou pour tuer son père en ce moment. Vous voyez, monsieur Poirot, nous progressons; nous écartons de notre chemin pas mal de gens.

– C'est si vrai que bientôt il ne nous restera plus personne!

Sugden grimaça un sourire.

– Nous n'irons pas jusque-là! Nous avons encore George Lee et sa femme, David Lee et Mrs David. Tous ceux-là avaient intérêt à voir mourir Simeon Lee. D'après nos renseignements, George Lee était en difficultés financières et son père menaçait de lui couper les vivres. George Lee est donc un suspect avec un mobile et l'occasion de commettre le meurtre.

– Continuez, lui dit Poirot.

– Egalement Mrs George! Cette femme aime l'argent comme un chat aime la crème, et je parie qu'elle est endettée jusqu'au cou! Jalouse de la petite Espagnole, elle s'aperçoit que la jeune Pilar gagne les bonnes grâces de son beau-père. Ayant entendu le vieux Mr Lee téléphoner à son notaire, elle ne perd pas de temps et frappe à coup sûr. Voilà une coupable toute désignée.

– En effet, murmura Poirot.

– Vous avez ensuite David Lee et sa femme. Ils héritent par le testament de Mr Lee, mais ces deux-là auraient agi pour un autre mobile que l'argent.

– Ah?

– Oui. David Lee est plutôt un rêveur qu'un homme pratique. Je le juge... un peu bizarre. A mon idée, ce meurtre peut avoir trois mobiles. J'y vois d'abord le vol de diamants, le testament et... la haine pure et simple.

– Ah! vous voyez cela?

– Naturellement! J'y songe depuis longtemps. Si David Lee a tué son père, ce n'est pas par amour de l'argent. Si c'est lui le criminel, cela expliquerait bien tout ce sang répandu!

Poirot lança au chef de police un regard approbateur.

– Oui, et je me demandais quand vous vous décideriez à prendre ce détail en considération. « Tant de sang... », avait dit Mrs Alfred. Cette grande quantité de sang répandu nous reporte aux anciens rites... aux sacrifices sanglants, à la purification par le sang d'une victime...

Sugden fronça les sourcils.

– Selon vous, ce crime est le fait d'un fou?

– Mon cher, il y a dans l'individu toutes sortes d'instincts qu'il ignore lui-même. L'amour du sang, l'envie du sacrifice!

– David Lee a plutôt l'air d'un type paisible et inoffensif, remarqua Sugden.

– Vous ne comprenez rien à la psychologie, mon cher ami. David Lee vit dans le passé... et chez lui, le souvenir de sa mère demeure vivace. Longtemps, il est resté éloigné de son père parce qu'il ne peut lui pardonner les mauvais traitement infligés à sa mère. Il est peut-être venu ici avec l'intention de pardonner à son père, mais sans doute n'en a-t-il pas eu le courage... Nous savons, en outre, que, devant le cadavre de son père, quelque chose en lui se trouva apaisé et satisfait puisqu'il a prononcé les premiers mots de cette citation : « Les meules du Seigneur broient lentement, mais très finement. » La voilà, l'idée du châtiment, de rançon! Le mal effacé par un sacrifice expiatoire!

Sugden frémit.

— Ne parlez pas ainsi, monsieur Poirot! Vous me glacez le sang dans les veines. Si votre hypothèse est la bonne, Mrs David sait tout et s'efforce de détourner les soupçons de son mari. Je la vois bien dans ce rôle, mais je ne l'imagine pas du tout commettant elle-même l'assassinat. Cette brave femme ne peut être une meurtrière.

Poirot observa son interlocuteur avec intérêt.

— Est-ce là votre opinion?

— Oui, monsieur Poirot. Mrs David me fait l'effet d'une femme simple et bonne. Comprenez-vous ce que je veux dire?

— Oh! je vous comprends fort bien.

Sugden le regarda, intrigué.

— Voyons, monsieur Poirot, vous avez vos idées sur cette affaire. Faites-les connaître, je vous en prie.

— J'ai mes idées, comme vous dites, déclara lentement Poirot, mais elles demeurent nébuleuses. Donnez-moi, d'abord, un résumé de l'enquête.

— Bien. A ce crime, je découvre trois mobiles : la haine, le testament et les diamants. Considérons les faits dans leur ordre chronologique :

» 3 h 30 : Réunion de famille chez Mr Lee. Conversation téléphonique entre le père et son notaire, devant la famille assemblée. Puis, le vieux monsieur s'emporte et dit son fait à chacun. Tous se retirent, épouvantés.

144

— Pardon! Hilda Lee resta après les autres, observa Poirot.

— Oui, mais pas pour longtemps... A 6 heures, Alfred a avec son père un entretien... plutôt désagréable au sujet de Harry, qui doit reprendre sa place dans la maison. Alfred s'en montre fâché. Alfred Lee semblerait donc devoir être notre principal suspect; il possède le plus fort motif pour vouloir tuer son père. Mais poursuivons. Harry monte ensuite, plein d'arrogance. Il est arrivé à ses fins et a gagné la faveur paternelle. Mais avant ces deux entretiens, le vieux Lee a découvert l'absence de ses diamants et m'a téléphoné. Il ne parle de cette disparition à aucun de ses deux fils. Pourquoi? A mon idée, parce qu'il est certain qu'ils n'ont rien à voir là-dedans. Je crois, comme je l'ai toujours dit, que le vieux Mr Lee soupçonnait Horbury et... une autre personne. Je devine quelle était son intention. Souvenez-vous qu'il a demandé à ses enfants de ne pas monter le voir après dîner. Pourquoi? Parce qu'il se réservait la soirée pour deux choses : d'abord, ma visite, et ensuite, la visite de cette personne qu'il suspectait. Il a dû prier quelqu'un de venir lui parler après dîner. Qui était-ce? Peut-être George Lee... ou sa femme? Mais ici, entre en scène Pilar Estravados. Mr Lee lui a montré ses diamants et lui en a expliqué la valeur. Qui nous dit que cette petite n'est pas une voleuse? Rappelez-vous ces allusions mystérieuses à la conduite de son père. Est-elle la fille d'un voleur professionnel qui aurait fait de la prison?

— Et comme vous dites, prononça Poirot d'un air sentencieux, Pilar Estravados entre en scène...

— Oui, comme voleuse! Se voyant découverte, elle aura perdu la tête et se sera jetée sur son grand-père pour l'attaquer.

— Très possible... oui, très possible, murmura Poirot.

Le superintentant Sugden lui lança un vif coup d'œil.

— Mais telle n'est pas votre opinion. Je vous en prie, monsieur Poirot, dites-moi ce que vous en pensez.

— Moi, dit le détective, j'en reviens toujours au caractère de la victime. Quel genre d'homme était Simeon Lee?

— Sa personnalité n'avait rien de mystérieux, répondit Sugden en regardant fixement Poirot.

— Alors, parlez-moi de cet homme. Répétez-moi ce qu'on racontait sur lui dans le pays.

Sugden passa son index sur sa joue et demeura un instant perplexe.

— Je ne suis pas de cette région, expliqua-t-il. Je viens du comté voisin, de Reevershire. Evidemment, le vieux Mr Lee était un homme important dans le pays et je le connais bien par ouï-dire.

— Eh bien? Que disait-on de lui?

— Ma foi, on disait que c'était un mauvais coucheur, un type madré, impossible à rouler. Cependant, il avait la réputation de se montrer généreux et de donner sans compter. Quand je songe que cet avare de George Lee est son fils, cela me renverse!

— Ah! fit Poirot. Remarquez qu'il y a deux branches distinctes dans cette famille... Alfred, George et David se ressemblent... tout au moins superficiellement... Ils tiennent de la mère. Ce matin, j'ai longuement étudié les portraits de la galerie.

— Mr Lee était vif et emporté, reprit Sugden, et, naturellement, il courait après les femmes... du moins lorsqu'il était plus jeune. Depuis quelques années, il ne sortait plus. Mais, là, aussi, il se montrait large. S'il arrivait une histoire, il payait royalement et presque toujours établissait la fille. Il avait une conduite déplorable et négligeait sa femme qui mourut, dit-on, de chagrin. La pauvre Mrs Lee était toujours malade. Son époux la rendit vraiment très malheureuse. La méchanceté de Mr Lee ne laisse aucun doute. Il était, en outre, rancunier. Si on lui avait joué un tour, il se vengeait un jour ou l'autre et, à ce qu'on dit, il savait attendre le moment propice.

— « Les meules du Seigneur broient lentement, mais finement », murmura Poirot.

— Plutôt les meules du diable! plaisanta lourdement le superintendant. Simeon Lee n'avait rien d'un saint. On aurait juré qu'il avait vendu son âme au diable et se félicitait d'avoir conclu un bon marché. Et il était fier... orgueilleux comme Lucifer.

— Orgueilleux comme Lucifer! répéta Poirot. Voilà une idée bien suggestive.

— Croyez-vous que l'orgueil soit la cause de sa mort? lui demanda Sugden, intrigué.

— Je veux dire que Simeon Lee a transmis cet orgueil à ses fils... L'hérédité! Quel mystère! Le vieux Mr Lee...

Poirot s'interrompit. Hilda venait de sortir de la maison et semblait chercher quelqu'un.

III

— Je voudrais vous parler, monsieur Poirot.

Le superintendant s'excusa et rentra dans la maison.

— Je ne m'attendais pas à le voir ici, dit Hilda à Poirot en le regardant s'éloigner. Il me semblait l'avoir aperçu en compagnie de Pilar. Ce policier est très aimable et plein de persévérance.

Sa voix douce trahissait une profonde bonté et une grande indulgence.

— Vous désiriez me parler, madame? lui dit Poirot.

— Oui. Je suis certaine que vous pourrez m'aider.

— J'en serais enchanté, madame.

— Monsieur Poirot, vous êtes un homme très intelligent. Je l'ai bien remarqué hier soir. Je voudrais vous expliquer le caractère de mon mari.

– Comment, madame?

– Je ne parlerais pas ainsi au superintendant Sugden. Il ne me comprendrait pas. Vous, c'est différent.

Poirot s'inclina.

– Vous me voyez très honoré, madame.

– Depuis des années, en réalité depuis que je le connais, reprit Hilda, mon mari souffre d'une infirmité mentale.

– Ah!

– Lorsqu'un homme reçoit une blessure physique, il souffre, mais la blessure se guérit, les chairs se referment et les os se ressoudent. Il reste parfois une cicatrice, mais rien de plus. Mon mari, monsieur Poirot, a été blessé moralement à l'âge ou un jeune garçon est le plus sensible. Il adorait sa mère et l'a vue mourir à petit feu. Il juge son père responsable de cette mort. Il ne s'est jamais remis de ce choc moral et a toujours nourri une haine profonde contre son père. C'est moi qui l'avais persuadé de venir ici pour la Noël, comptant qu'il se réconcilierait avec lui. J'espérais ainsi guérir sa blessure au cœur. A présent, je comprends mon erreur. Simeon Lee a pris plaisir à enfoncer le couteau dans la plaie, mais... le jeu était dangereux...

– Vous prétendez, madame, que votre mari a tué son père? s'écria Poirot.

– Monsieur Poirot, je vous dis qu'il aurait pu le tuer... D'autre part, je vous affirme qu'il ne l'a pas fait... Tandis que là-haut, on assassinait son père, David jouait la *Marche funèbre*. Il portait en son cœur l'envie de tuer, mais cette soif de meurtre a été apaisée par les flots harmonieux de la musique... Je dis la vérité, monsieur Poirot.

Pendant un instant, Poirot demeura silencieux, puis il demanda à Mrs David :

– Madame, comment jugez-vous ce drame du passé?

– Faites-vous allusion à la mort de Mrs Simeon Lee?

– Oui.

– J'ai assez vécu pour savoir qu'il est bien difficile de se former une opinion sur un ménage d'après les on-dit. Tout laisse croire que les torts étaient du côté de Simeon Lee et qu'il traita son épouse de façon abominable. Permettez-moi, cependant, de vous dire qu'à mon sens, il existe une sorte de résignation, une prédisposition au martyre capable d'éveiller les pires instincts chez certains types d'hommes. Simeon Lee eût peut-être admiré le courage et l'esprit de décision chez sa femme, alors que les larmes et la patience n'ont réussi qu'à l'irriter.

Poirot acquiesça d'un signe de tête. Puis il ajouta :

– Hier soir, votre mari disait : « Ma mère ne se plaignait jamais. » Est-ce la vérité?

– Certes, non! répliqua vivement Hilda. Elle se plaignait à longueur de journée au pauvre David, et déchargeait sur ses faibles épaules le poids de ses souffrances. Il était trop jeune pour supporter un tel fardeau!

Pensif, le détective observa Hilda. Elle rougit et se mordit la lèvre.

– Je comprends, fit Poirot.

– Que comprenez-vous?

– Je comprends que vous avez dû remplir auprès de votre mari le rôle de mère, alors que vous auriez préféré jouer celui d'épouse.

Hilda Lee se détourna.

A ce moment précis, David sortit de la maison et s'avança vers eux.

– Quelle belle journée! On se croirait au printemps!

La tête rejetée en arrière, une boucle blonde retombant sur son front, une flamme dans ses yeux bleus, il paraissait étonnamment jeune et insouciant. D'un pas allègre, il rejoignit sa femme. Poirot n'en revenait pas...

— Descendons au lac, Hilda, dit David Lee.

Elle sourit, passa son bras sous celui de son époux et tous deux s'éloignèrent.

Poirot les observait. Il vit Hilda se retourner vivement et surprit dans son regard une lueur d'inquiétude... ou était-ce de peur?

D'un pas lent, Hercule Poirot se promena le long de la terrasse. Tout en marchant, il songeait : « Moi, je suis le père confesseur! Et comme les femmes se confessent plus souvent que les hommes, ce matin, elles viennent me faire leurs confidences. Une autre éprouvera-t-elle le besoin de me parler? »

Arrivé au bout de la terrasse, il fit demi-tour et comprit que sa question ne demeurerait pas longtemps sans réponse. Lydia Lee marchait à sa rencontre.

IV

— Bonjour, monsieur Poirot, dit Lydia. Tressilian m'a dit que je vous trouverais ici avec Harry, mais je me félicite de vous voir seul. Je sais que mon mari désire vivement un entretien avec vous.

— Voulez-vous que j'aille le voir maintenant?

— Non, pas tout de suite. Il a passé une très mauvaise nuit. Ce matin, je lui ai donné un narcotique et il dort encore. Mieux vaut ne pas le réveiller.

— Vous avez raison, madame. J'ai constaté hier soir que la mort de son père l'avait bouleversé.

— Il en a été bien plus affecté que les autres, monsieur Poirot, dit Lydia d'une voix grave.

— Je sais.

— Le superintendant et vous soupçonnez-vous l'auteur de ce meurtre?

– Madame, nous savons plutôt ceux qui ne l'ont pas commis.

– Quel cauchemar, s'écria Lydia. Je ne puis croire que tout cela est arrivé... A propos, Horbury était-il réellement au cinéma, comme il le disait?

– Oui, madame. On a contrôlé sa déposition. Il n'a dit que la vérité.

Lydia arracha une branche de buis d'un geste nerveux. Son visage pâlit et elle prononça d'une voix basse :

– C'est affreux! Il ne reste donc... que la famille!

– Parfaitement.

– Monsieur Poirot, je ne puis y croire!

– Si, madame, vous le croyez.

Elle allait protester, mais soudain, elle sourit tristement :

– Oui, en ce moment, je joue les hypocrites!

– Si vous exprimiez franchement votre pensée, madame, lui dit Poirot, vous admettriez qu'il vous semble tout naturel qu'un membre de la famille ait tué votre beau-père.

– Voilà une déclaration bien extravagante, monsieur Poirot!

– Peut-être. Mais votre beau-père n'était-il pas un personnage plutôt extravagant?

– Le pauvre homme! soupira Lydia. J'ai pitié de lui maintenant qu'il est mort et, lorsqu'il était vivant, il m'exaspérait au plus haut point.

– Je le conçois volontiers! fit Poirot. (Il se pencha sur une des vasques.) Ces jardinets me plaisent énormément. C'est très ingénieux.

– Je suis enchantée de savoir que vous les aimez. Le jardinage est ma distraction favorite. Que dites-vous de ce paysage arctique avec des pingouins?

– Charmant! Et que représente ceci?

– C'est la mer Morte... mais elle n'est pas encore terminée. Il ne faut pas la regarder. Ici, c'est Piana, en Corse. Dans ce pays, les rochers sont roses au bord de l'eau bleue. Cette scène de désert est bien amusante, n'est-ce pas?

Elle fit admirer à Poirot, l'un après l'autre, ses jardins miniatures. Cette visite terminée, elle consulta sa montre.

– A présent, je rentre voir si Alfred est éveillé, annonça-t-elle.

Lorsque Lydia eut disparu, Poirot retourna vers le bassin représentant la mer Morte et l'étudia avec une grande curiosité. Il se baissa, prit une poignée de petits cailloux noirs entre ses doigts.

Brusquement, il changea de visage et examina les pierres de très près.

– Sapristi! s'exclama-t-il. En voilà une surprise! Qu'est-ce que cela veut dire, au juste?

CINQUIÈME PARTIE

26 DÉCEMBRE

I

Le chef de la police du comté et le superintendant Sugden considéraient Poirot d'un air incrédule. Le détective belge remit une poignée de petits cailloux dans une boîte en carton et la tendit au colonel Johnson.

– Il n'y a pas d'erreur. Ce sont bien les diamants, dit Poirot.

– Et où les avez-vous trouvés? Dans le jardin?

– Oui, dans un des petits jardins construits par Mrs Alfred Lee.

– Mrs Alfred? Mais c'est impossible! déclara Sugden en secouant la tête.

– Selon vous, ce ne peut être Mrs Alfred qui a égorgé son beau-père?

– Nous savons déjà que ce n'est pas elle qui l'a tué, répliqua le superintendant. Je veux dire que je ne la crois pas coupable du vol des diamants.

– Non, on ne la prendrait pas pour une voleuse.

– N'importe qui peut les avoir cachés à cet endroit, suggéra Sugden...

– Ce jardinet... qui représente la mer Morte... où il y a des cailloux à peu près semblables aux diamants bruts était une cachette assez bien trouvée.

– Voulez-vous dire qu'elle avait préparé ce jardinet dans l'idée d'y dissimuler les diamants? demanda Sugden.

– Je ne le crois pas un instant, déclara le colonel Johnson. D'abord, pourquoi aurait-elle pris ces diamants?

– Quant à cela..., fit Sugden.

– J'y vois une explication plausible, l'interrompit Poirot. Elle a pu enlever les diamants pour faire croire que le vol a été le mobile du meurtre. Je veux dire qu'elle prévoyait l'assassinat.

Johnson fronça le sourcil.

– Votre théorie ne tient pas debout! s'écria-t-il. Vous en faites une complice... mais la complice de qui? De son mari? Nous savons que ce n'est pas lui le meurtrier. Votre hypothèse se réduit à néant.

Sugden se caressa la joue d'un air médidatif.

– En effet, dit-il. A moins que Mrs Alfred, coupable d'un simple vol de diamants, ait préparé ce jardinet pour les dissimuler jusqu'à ce qu'on cesse d'en parler. Mais c'est peu probable. Il s'agit plutôt d'une coïncidence. Ce jardinet, avec ses cailloux sombres, a pu sembler au voleur une cachette idéale.

– C'est encore possible. Je ne me refuse jamais à admettre l'hypothèse d'une coïncidence, dit Poirot.

– Mrs Alfred Lee est une très gentille personne, ajouta prudemment le superintendant. Il paraît peu vraisemblable qu'elle soit mêlée à une pareille escroquerie.

– En tout cas, elle n'est pour rien dans l'assassinat du vieux Mr Lee, répliqua le colonel Johnson avec humeur. Le maître d'hôtel l'a vue dans le salon au moment où le crime était commis. Vous rappelez-vous, Poirot?

– Oui. Je m'en souviens.

Le colonel se tourna vers son subordonné.

– Poursuivons, si vous le voulez bien. Avez-vous quelque chose de nouveau à m'apprendre, Sugden?

– Oui, monsieur. J'ai recueilli quelques renseignements... d'abord sur Horbury. Ce n'est pas sans raison qu'il a peur de la police.

– Vol?

– Non, monsieur. Chantage. Il extorquait de l'argent sous menaces. On l'a acquitté faute de preuves suffisantes. Comme il n'a pas la conscience tranquille, il s'est imaginé qu'on allait l'arrêter quand Tressilian lui a annoncé la visite d'un policier.

– Hum! fit le chef constable. Et voilà pour Horbury! Ensuite?

Le chef de police toussota.

– Euh... Mrs George Lee. Avant son mariage, elle vivait avec un certain commandant Jones. Elle se faisait passer pour sa fille... mais il n'y avait entre eux aucun lien de parenté... D'après ce que nous savons sur la réunion d'hier, le vieux Mr Lee l'avait bien démasquée. Il s'y connaissait en femmes et on ne le dupait pas facilement. Pour s'amuser, il a décoché un trait au hasard... et... il a frappé juste. Outre l'appât de l'argent, cela donne à Mrs George un nouveau mobile de tuer son beau-père, conclut le colonel Johnson pensif. Elle a peut-être cru qu'il savait quelque chose de précis et allait la trahir auprès de son mari. Son histoire de téléphone est fausse. Elle n'a pas téléphoné.

– Si nous les invitions à venir ici tous les deux afin de tirer au clair cette affaire de téléphone? suggéra Sugden.

– Bonne idée! fit le colonel Johnson.

Il sonna. Tressilian apparut.

– Priez Mr et Mrs George Lee de venir, s'il vous plaît.

– Bien, monsieur.

Comme le vieux serviteur allait sortir, Poirot lui demanda :

– Est-ce que la date n'a pas été changée sur ce calendrier depuis la mort de votre maître?

Tressilian se retourna.

– Quel calendrier, monsieur?

– Celui qui est là, accroché au mur.

Les trois hommes se trouvaient dans le petit bureau d'Alfred Lee. Ils regardèrent le calendrier en question où les dates se trouvaient indiquées en gros caractères d'imprimerie sur des feuilles à détacher.

– Excusez-moi, monsieur, fit Tressilian, la feuille a bien été enlevée. Nous sommes aujourd'hui le 26.

– Ah! pardon. Quelle est la personne qui s'est chargée de ce soin?

– Mr Lee, monsieur, comme tous les matins. Mr Alfred Lee est un monsieur très ordonné.

– Je vois cela. Merci.

Tressilian sortit et Sugden demanda, l'air inquiet :

– Monsieur Poirot, trouvez-vous quelque chose de drôle à ce calendrier?

Poirot haussa les épaules :

– Ce calendrier n'a aucune importance. Je me livrais simplement à une petite expérience.

– L'enquête est pour demain, annonça le colonel Johnson. Naturellement, le débat sera ajourné.

– Bien, monsieur. J'ai vu le coroner et tout est prêt.

George Lee entra dans la pièce, en compagnie de sa femme.

Le colonel Johnson les salua :

– Bonjour. Asseyez-vous, je vous prie. Je voudrais vous poser quelques questions sur un point qui ne me paraît pas très clair.

– Je m'efforcerai de vous aider autant qu'il me sera possible, déclara George Lee d'un ton déclamatoire.

– Bien sûr, prononça faiblement son épouse.

Le colonel fit un signe à Sugden, qui commença :

– Il s'agit des coups de téléphone que vous avez lancés le soir du crime. Mr Lee, vous dites avoir téléphoné à Westeringham.

– Oui, répondit George avec calme. A un de mes agents électoraux. Vous pouvez le convoquer pour...

Le superintendant leva la main pour arrêter le flot de discours de George Lee, membre du Parlement.

– Très bien, très bien, Mr Lee. Nous ne mettons pas ce point en doute. Vous avez eu la communication à 8 h 59 exactement.

– Euh... ma foi, je ne pourrais préciser.

– Ah! fit Sugden, triomphant. Nous, nous en sommes certains. Nous avons pour principe de toujours vérifier ces détails de façon méticuleuse. La communication a commencé à 8 h 58 pour se terminer à 9 h 4. Une fois de plus, je me vois obligé de vous demander l'emploi de votre temps.

– Je vous l'ai déjà dit..., je téléphonais.

– Non, Mr Lee, pas au moment de crime.

– C'est ridicule. Vous devez avoir fait erreur. Enfin, peut-être avais-je fini cette conversation... Ah oui! je m'en souviens, j'hésitais avant de passer un nouvel appel... me demandant si réellement cela valait la peine de faire... cette dépense... lorsque j'ai entendu du bruit à l'étage au-dessus.

– Je ne pense pas qu'il vous faille dix minutes pour décider si oui ou non vous allez demander une communication téléphonique? lui dit Sugden.

– Que dites-vous? Que diable osez-vous insinuer? bafouilla George, rouge comme une pivoine. Quelle audace! Douteriez-vous de ma parole... de la parole d'un homme de ma situation? Dois-je vous rendre compte de chacun de mes instants?

– C'est l'habitude, répliqua le superintendant Sugden avec un flegme qui fit l'admiration de Poirot.

Furieux, George se tourna vers le chef de la police du comté.

– Colonel Johnson, approuvez-vous cette... attitude sans précédent?

– Dans une affaire de meurtre, Mr Lee, certaines

questions doivent être posées... et il convient d'y répondre.

– J'y ai déjà répondu! J'avais fini de téléphoner et... j'hésitais à demander une autre communication.

– Vous trouviez-vous dans cette pièce lorsque l'alarme fut donnée là-haut?

– Je... oui.

Johnson se tourna vers Magdalene.

– Il me semble, Mrs Lee, que vous avez affirmé que vous étiez en train de téléphoner lorsque le bruit se produisit chez votre beau-père et qu'à ce moment vous vous trouviez seule dans ce bureau.

Magdalene se troubla. Elle jeta un coup d'œil à George... puis à Sugden, et regarda le colonel Johnson d'un air suppliant.

– Oh! Je ne sais vraiment plus ce que j'ai dit... J'étais bouleversée.

– Vous savez que vos réponses ont été prises par écrit? l'avertit Sugden.

Elle tourna ses batteries vers le superintendant : grands yeux implorants et lèvres tremblantes. Mais elle ne rencontra que le regard distant d'un homme d'une stricte moralité qui désapprouve ce genre de femme.

– Oui... oui... j'ai téléphoné, murmura-t-elle, hésitante. Je ne sais pas au juste à quel moment...

– Comment? s'écria George. D'où as-tu téléphoné? Pas d'ici.

– Mrs Lee, dit alors Sugden, je prétends que vous n'avez pas téléphoné. Où étiez-vous donc et que faisiez-vous?

Affolée, Magdalene regarda de tous côtés, puis éclata en sanglots.

– George, ne leur permets pas de me malmener ainsi. Tu sais bien que je ne puis répondre lorsqu'on me bouscule. Je ne me souviens de rien. Je... Je ne sais plus ce que j'ai dit ce soir-là... J'étais si troublée par ce drame horrible... et ils se montrent si méchants pour moi!

Elle se redressa d'un bond et quitta la pièce en sanglotant.

– Qu'avez-vous fait? s'écria George plein d'arrogance. Pour rien au monde, je ne permettrai qu'on traite ainsi ma femme! Elle est hyper-sensible. C'est une honte! J'en référerai au Parlement sur la méthode scandaleuse employée par la police.

Il quitta le bureau en claquant la porte.

Sugden rejeta la tête en arrière et éclata de rire.

– Ils se sont laissé prendre! Voyons la suite.

– Voilà qui paraît pour le moins bizarre, observa Johnson en fronçant le sourcil. Il faut obtenir d'elle une nouvelle déposition.

– Oh! elle va revenir d'une minute à l'autre, déclara Sugden... dès qu'elle aura trouvé une explication convenable. N'est-ce pas, monsieur Poirot?

Poirot sembla sortir d'un rêve et sursauta :

– Pardon?

– Je disais qu'elle allait revenir.

– Peut-être... c'est possible... Oh oui?

– Qu'avez-vous, monsieur Poirot? demanda Sugden. Venez-vous de voir un spectre?

– Ma foi, répondit Poirot, je suis prêt à le croire.

– Voyons, Sugden, est-ce tout? s'impatienta le colonel Johnson.

– J'ai encore vérifié l'ordre d'arrivée de chacun sur la scène du meurtre, répondit l'autre. Sitôt son crime accompli, dès que le cri de la victime a jeté l'alarme, l'assassin sort de la pièce qu'il referme du dehors au moyen d'un outil quelconque, et l'instant d'après il se trouve mêlé au groupe des personnes qui se précipitent vers la chambre de Mr Lee. Malheureusement, il est difficile de savoir qui chacun a vu parce que les souvenirs s'embrouillent en de tels moments. Tressilian dit qu'il a vu Harry et Alfred traverser le vestibule et monter l'escalier. Ce témoignage les met hors de cause; du reste, nous ne les avons jamais suspectés. Si j'ai bien compris, miss Estravados est venue une des dernières. Tout porte à croire que Farr, Mrs George et Mrs David furent les premiers. Chacun de ces trois affirme qu'un autre se trouvait là devant lui. Et il est assez difficile de distinguer entre un faux témoignage et un mensonge involontaire. Tout le monde a couru vers le lieu du crime... c'est une affaire entendue... il est plus difficile de dire dans quel ordre.

— Attachez-vous une grande importance à ce détail? demanda lentement Poirot.

— Oui, monsieur, car rappelez-vous que le criminel n'a disposé que d'un temps très court.

— Je suis de votre avis. Cette question de temps joue un rôle primordial en l'affaire.

— Et ce qui complique encore l'histoire, reprit Sugden, c'est qu'il y a deux escaliers. Le grand escalier part du vestibule à une distance égale du salon et de la salle à manger. Le second escalier se trouve à l'autre bout de la maison. C'est celui qu'a pris Stephen Farr. La chambre de miss Estravados est située juste en haut de cet escalier. Tous les autres prétendent avoir emprunté celui du vestibule.

— Cela prête, en effet, à confusion.

La porte s'ouvrit et Magdalene entra précipitamment. La respiration haletante et les pommettes rouges, elle s'approcha de la table :

— Mon mari se figure que je me repose, mais je me suis glissée hors de ma chambre, (Elle tourna vers le chef constable des yeux suppliants :) Colonel Johnson, si je vous dis la vérité, vous la garderez pour vous, n'est-ce pas? Il n'est pas nécessaire de la rendre publique.

— Mrs Lee, s'agit-il d'une question n'ayant rien à voir avec le crime?

— Oui. Cela ne concerne que... ma vie privée.

— Mieux vaut vous soulager la conscience, Mrs Lee, lui dit le colonel. A nous de juger ensuite.

160

– J'ai confiance en vous, lui dit Magdalene, les yeux baignés de larmes. Vous paraissez si bon. Voici : Quelqu'un...

Elle s'interrompit.

– Et après, Mrs Lee?

– Hier soir, je voulais téléphoner à une personne... à un de mes amis, et je ne voulais pas que George le sache. J'ai tort, je l'avoue, mais c'est ainsi. Après dîner, je me suis décidée à téléphoner, croyant mon mari dans la salle à manger. Mais quand je suis arrivée près de cette porte, j'ai entendu George parler au téléphone. J'ai attendu...

– Où avez-vous attendu, madame? demanda Poirot.

– Il y a une penderie pour les manteaux derrière l'escalier. Je me suis glissée dans ce coin sombre où je pourrais voir George sortir du bureau. Mais il ne sortait pas et soudain le vacarme a éclaté là-haut. Entendant le cri de Mrs Lee, je me suis élancée dans l'escalier.

– Ainsi, votre mari n'a pas quitté cette pièce avant le moment du crime?

– Non.

– Et vous-même êtes demeurée dans ce recoin derrière l'escalier, de 9 heures à 9 heures et quart? demanda le chef constable.

– Oui, mais je ne pouvais le dire, vous comprenez! On aurait voulu savoir ce que je faisais là. Il m'était difficile de répondre à vos questions devant mon mari.

– Evidemment! acquiesça sèchement Johnson.

Elle lui adressa un sourire enjôleur.

– Je me sens soulagée de vous avoir confessé la vérité. Mais vous ne répéterez rien à mon mari. C'est promis, n'est-ce pas? Je sais que je peux avoir confiance en vous... en vous tous.

Son regard suppliant enveloppa les trois hommes. Puis, elle quitta la pièce en hâte.

Le colonel Johnson poussa un soupir.

— Ma foi, cela s'est peut-être passé ainsi. Son histoire semble plausible. D'autre part...

— Elle peut mentir encore, acheva Sugden. Nous n'en savons rien.

III

Debout au coin d'une des fenêtres du salon, à demi cachée par les lourdes tentures, Lydia regardait au-dehors. Un bruit dans la pièce la fit sursauter. En se détournant, elle vit Hercule Poirot près de la porte.

— Vous m'avez fait peur, monsieur Poirot.

— Toutes mes excuses, madame. Je marche doucement.

— Je croyais que c'était Horbury, dit-elle.

Hercule Poirot acquiesça d'un signe de tête.

— C'est vrai. Celui-là ne fait jamais de bruit... Il marche doucement comme un chat... ou un voleur.

Il fit une pause et observa Mrs Alfred Lee.

Sans trahir sa pensée intime, elle plissa les lèvres en une grimace de dégoût.

— Cet homme ne m'a jamais plu. Je serai heureuse de le voir quitter la maison.

— Et je vous félicite de vous en débarrasser.

— Que dites-vous, monsieur Poirot? Savez-vous quelque chose contre lui?

— C'est un individu à l'affût des scandales... pour s'en servir au moment voulu... une sorte de maître chanteur.

— Croyez-vous qu'il sache quelque chose... concernant le meurtre de Mr Lee?

Poirot haussa les épaules :

— Il possède des pieds silencieux et de longues oreilles. Il peut avoir surpris quelques bribes de conversations et les garder pour arriver à ses fins.

– Vous voulez dire qu'il va essayer de faire chanter l'un de nous?

– C'est encore possible. Mais ce n'est pas de cela que je voulais vous entretenir... J'ai parlé avec Mr Alfred Lee. Il m'a fait une proposition et je voulais connaître votre opinion avant de l'accepter. Mais je suis demeuré tellement frappé par le spectacle que vous m'avez offert... par le contraste charmant de votre robe sur le fond grenat des rideaux, que je n'ai pu m'empêcher d'admirer...

– Monsieur Poirot, fit Lydia, sévère, devons-nous perdre notre temps en compliments?

– Excusez-moi, madame. Si peu de dames anglaises comprennent l'art de la toilette! Le soir où je vous ai vue pour la première fois, vous portiez une robe d'une ligne simple, mais au dessin hardi... pleine de grâce et de... distinction.

– A quel sujet désiriez-vous me voir? s'impatienta Lydia.

Poirot redevint sérieux.

– Voici, madame. Votre mari voudrait que je fasse une enquête personnelle. Il me demande de rester dans cette maison et de faire mon possible pour aller au fond des choses.

– Eh bien? fit Lydia sèchement.

– Je ne peux accepter une invitation que si elle est ratifiée par la maîtresse de maison.

– Naturellement, j'approuve l'invitation de mon mari, lui dit Lydia, très calme.

– Oui, madame, mais cela ne me suffit pas. Désirez-vous réellement, me voir ici, dans cette maison?

– Pourquoi pas?

– Soyons francs. Voici la question telle que je dois vous la poser : voulez-vous, oui ou non, que la vérité éclate en plein jour?

– Certes!

– Faut-il que vous ayez recours à ces réponses conventionnelles? soupira Poirot.

– Je ne suis pas une femme conventionnelle. (Elle se mordit la lèvre, hésita, puis dit :) Peut-être vaut-il mieux parler franchement. Je vous comprends fort bien. Mon beau-père a été tué de façon odieuse et... à moins d'accuser Horbury de vol et de meurtre, ce qui paraît impossible, on en est réduit à penser que mon beau-père a été assassiné par un membre de sa propre famille. Amener devant les tribunaux ce coupable serait jeter la honte et l'opprobre sur nous tous... En toute franchise, monsieur Poirot, je ne veux pas de cela!

– Préférez-vous que le meurtrier échappe au châtiment?

– Il existe probablement, de par le monde, bien des criminels en liberté!... Un de plus, un de moins, quelle importance cela a-t-il?

– Songez aux autres membres de la famille, madame. Aux innocents!

Lydia le dévisagea.

– Que cela peut-il leur faire?

– Si l'affaire se termine selon vos vœux, on ne saura jamais la vérité. Une ombre subsistera sur tous également...

– Je n'y avais pas pensé, fit Lydia, hésitante.

– Personne ne saura qui a commis le crime, dit Poirot... à moins, ajouta-t-il tout bas, à moins que vous ne le sachiez déjà, madame.

– Vous n'avez pas le droit de dire pareille chose! s'écria-t-elle. Ce n'est pas vrai. Oh! si seulement le criminel était un étranger... et pas une personne de la famille!

– Il peut être les deux à la fois.

Elle le dévisagea.

– Que voulez-vous dire?

– L'assassin peut être un membre de la famille...et en même temps un étranger... Vous ne me saisissez pas? Eh bien, c'est une idée d'Hercule Poirot. (Il la regarda d'un air interrogateur.) Alors, madame, que dois-je répondre à Mr Lee?

– Que vous acceptez... naturellement.

IV

Pilar se tenait debout au milieu de la salle de musique. Elle lançait des regards furtifs d'un côté et de l'autre comme un animal traqué.

– Je veux m'en aller d'ici! fit-elle.

– Vous n'êtes pas seule à le vouloir, murmura Stephen Farr. Mais on ne nous laissera pas partir.

– Qui ça?... la police?... C'est bien ennuyeux d'avoir affaire à la police. Cele ne devrait jamais arriver à des gens respectables.

– Comme vous, par exemple, dit Stephen, le sourire aux lèvres.

– Oh! je ne parle pas de moi, dit Pilar, mais d'Alfred, Lydia, David, George et Hilda et... aussi Magdalene.

Stephen alluma sa cigarette, en tira quelques bouffées, puis demanda :

– Pourquoi une exception... Pourquoi laissez-vous de côté Harry?

Pilar éclata de rire, découvrant ses dents blanches bien régulières.

– Oh! Harry est différent des autres. Il doit déjà savoir ce que c'est d'avoir affaire à la police.

– Vous avez sans doute raison. Il cadre plutôt mal avec le reste de la famille. (Après un silence, il demanda :) Aimez-vous vos parents d'Angleterre, Pilar?

Elle hésita avant de répondre :

– Ils se montrent aimables... tous très aimables. Mais ils ne rient pas... et ne sont pas gais.

– Ma chère petite, songez qu'un meurtre vient de se commettre dans la maison!

– C'est vrai, fit Pilar.

– On ne saurait prendre un meurtre à la légère. En Angleterre, on ne badine pas avec l'assassinat comme en Espagne.

– Vous vous moquez de moi..., dit Pilar.

– Non. Je ne suis pas d'humeur à plaisanter.

– Parce que, vous aussi, vous voudriez quitter cette maison?

– Oui.

– Et le beau policier ne vous laisse pas partir?

– Je ne lui ai pas demandé. Mais il me le refuserait certainement. Je dois être prudent, Pilar, très prudent.

– Voilà qui est ennuyeux, soupira Pilar.

– Plus qu'ennuyeux, ma chère. Il y a aussi ce stupide détective étranger qui fouille partout. Je ne le crois pas très capable, mais il me tape sur les nerfs.

– Mon grand-père était riche, très riche, n'est-ce pas? demanda Pilar, sourcils froncés. A qui reviendra son argent? A Alfred et aux autres.

– Cela dépend de son testament.

– Il m'a peut-être laissé une grosse somme, soupira Pilar, songeuse, mais rien n'est moins sûr.

Stephen voulut la consoler.

– Votre avenir est assuré. Après tout, vous appartenez à la famille et les Lee s'occuperont de vous.

– Je... je suis de la famille. Comme c'est drôle! Ou plutôt, non, ce n'est pas drôle du tout!

– Je comprends que cette idée ne vous enchante guère.

De nouveau, Pilar soupira. Puis elle proposa :

– Et si nous faisions marcher le gramophone pour danser?

– Vous allez scandaliser tout le monde. Songez que vous êtes dans une maison en deuil, petite Espagnole au cœur insensible!

Pilar ouvrit de grands yeux :

– Mais je ne suis pas triste du tout. Je ne connaissais

guère mon grand-père. Je prenais plaisir à bavarder avec lui, mais je n'ai pas envie de pleurer parce qu'il est mort et ce serait ridicule d'afficher un chagrin que je ne ressens nullement.

— Vous êtes adorable! s'exclama Stephen.

— Nous pourrions fourrer des bas et des gants dans le pavillon du gramophone pour étouffer le bruit, ainsi personne n'entendrait, murmura Pilar d'une voix cajoleuse.

— Allons, petite tentatrice, il faut bien vous obéir.

Elle riait en courant dans le corridor pour se rendre à la salle de bal, à l'autre bout de la maison.

Arrivée au petit couloir conduisant à la porte du jardin, elle s'arrêta net. Stephen, qui venait de la rattraper, s'arrêta également.

Hercule Poirot avait décroché un des portraits de la galerie et l'examinait à la lumière venant de la terrasse. Il leva les yeux et vit les deux jeunes gens.

— Ah! fit-il, vous arrivez au bon moment.

— Que faites-vous là? lui demanda Pilar, en s'approchant du détective.

— J'étudie quelque chose de très important : le visage de Siméon Lee quand il était jeune.

— Est-ce là mon grand-père? fit Pilar.

— Oui, mademoiselle.

— Comme il était différent... s'exclama-t-elle en observant la peinture. Il ne ressemblait pas du tout à cela... il était si vieux, si ridé! Ici, on dirait Harry... Harry de dix ans plus jeune.

— Oui, fit Hercule Poirot. Harry est bien le fils de son père. Maintenant regardez... (Il conduisit Pilar voir un autre portrait dans la galerie.) Voici Mrs Lee, votre grand-mère... un long visage plein de douceur, la chevelure blonde, les yeux bleus très tendres...

— Comme David, remarqua Pilar.

— Alfred a aussi un peu ces traits-là, intervint Stephen.

— L'hérédité est une chose intéressante, déclara le

détective. Mr Lee et sa femme étaient deux types diamétralement opposés. Leurs enfants tiennent presque tous de la mère. Tenez, mademoiselle.

Du doigt, Poirot désignait le portrait d'une jeune fille à vingt ans, à la chevelure dorée et aux yeux bleus rieurs. Les teintes étaient bien les mêmes que celles du portrait de Mrs Simeon Lee, mais il existait dans celui de cette jeune personne une gaieté et une vivacité qui manquaient totalement dans les yeux bleu pâle et les traits placides de l'épouse de Simeon.

– Oh! s'exclama Pilar.

Le rouge lui monta aux joues.

Elle porta la main à son cou et produisit un médaillon retenu par une longue chaîne en or. Elle l'ouvrit et les mêmes yeux rieurs regardèrent Poirot.

– Ma mère, dit Pilar.

Poirot vit de l'autre côté du médaillon le portrait d'un homme jeune et beau avec des cheveux noirs et des yeux bleu sombre.

– Votre père? demanda le détective.

– Oui, mon père. Il était très beau.

– Certes oui. Peu d'Espagnols ont les yeux bleus, n'est-ce pas, señorita?

– On en rencontre dans le Nord. De plus, la mère de mon père était irlandaise.

– Ainsi, vous avez dans les veines du sang espagnol, irlandais et anglais, avec un peu de sang bohémien, dit Poirot d'un air songeur. Savez-vous à quoi je pense mademoiselle? Avec une telle hérédité, vous feriez une ennemie féroce.

– Rappelez-vous ce que vous me disiez dans le train, dit Stephen en riant. Pour vous venger d'un ennemi, vous lui couperiez le cou. Oh!...

Il s'interrompit, comprenant soudain la portée de ses paroles.

Hercule Poirot détourna vite la conversation.

– Ah! Señorita, j'avais quelque chose à vous demander. Votre passeport. Mon ami, le chef de police, le réclame. Vous n'ignorez pas qu'il y a des règlements... stupides et ennuyeux, certes... pour un étranger résidant dans ce pays. Et, naturellement, du point de vue légal, vous êtes une étrangère.

– Mon passeport? Attendez, je vais le chercher. Il est là-haut, dans ma chambre.

Poirot s'excusa :

– Je regrette de vous importuner de la sorte.

Il marchait à côté d'elle. Au bout de la galerie, Pilar courut dans l'escalier et Poirot la suivit. Stephen montait derrière eux. La chambre de Pilar était en haut de l'escalier.

Avant d'ouvrir la porte, elle dit à Poirot :

– Attendez, je vais vous le donner.

Elle entra dans sa chambre. Poirot et Stephen Farr demeurèrent à la porte.

– Faut-il que je sois stupide pour lui avoir rappelé une chose pareille, déclara Stephen, bourrelé de remords. Peut-être n'y a-t-elle pas fait attention. Qu'en dites-vous, Poirot?

Poirot ne lui répondit pas. La tête penchée de côté, il semblait écouter. Puis il dit :

– C'est extraordinaire ce que les Anglais aiment l'air. Miss Estravados a dû hériter de ce goût caractéristique de la race britannique.

Stephen le regarda bien en face.

– Pourquoi?

– Parce que, bien qu'aujourd'hui il fasse extrêmement froid – pas comme hier où le temps était doux et ensoleillé – miss Estravados vient de relever le bas de sa fenêtre-guillotine. Cela m'étonne qu'on puisse tant aimer l'air froid!

Soudain, une exclamation en espagnol leur parvint de la chambre et Pilar reparut l'air consterné.

– Ah! je suis stupide et maladroite. Mon sac à main était sur le rebord de la fenêtre et comme je cherchais dans les papiers mon passeport est tombé. Il est en bas dans le parterre de fleurs. Je cours le ramasser.

– Je descends vous le chercher, proposa Stephen.

Mais Pilar le dépassa et lui cria par-dessus son épaule :

– Non, c'est ma faute. Allez dans le salon avec M. Poirot et je vous y rejoindrai.

Stephen Farr semblait vouloir suivre la jeune fille, mais Poirot lui toucha légèrement le bras et lui dit :

– Venez par ici.

Ils se dirigèrent vers l'autre côté de la maison jusqu'au haut du grand escalier. Là, Poirot dit à son compagnon :

– Ne descendons pas tout de suite. Accompagnez-moi à la chambre du crime car je voudrais vous poser une question.

Ils prirent le couloir conduisant à la chambre de Simeon Lee et passèrent devant une sorte d'alcôve où se dressaient deux statues, deux nymphes aux formes superbes, vêtues de draperies, et datant de l'époque victorienne.

Stephen leur jeta un coup d'œil et murmura :

– Elles sont effrayantes en plein jour. Il m'avait semblé en voir trois l'autre soir. Dieu merci, il n'y en a que deux.

– Elles ne sont pas au goût du jour, concéda Poirot. Mais elles ont dû coûter fort cher à l'époque. Elles font meilleur effet la nuit, il me semble.

– Oui, alors on n'aperçoit que des formes blanches très vagues.

– La nuit tous les chats sont gris, murmura Poirot.

Ils trouvèrent le chef de police Sugden dans la chambre de Simeon Lee. Agenouillé devant le coffre-fort, il en examinait la porte à l'aide d'une loupe. Il leva les yeux quand les autres entrèrent.

– Ce coffre a été ouvert avec la clef, dit-il, et par quelqu'un qui en connaissait la combinaison.

Poirot alla vers lui, l'attira un peu à l'écart et lui dit

deux mots à l'oreille. Le chef de police acquiesça d'un signe de tête et quitta la pièce.

Poirot se tourna ensuite vers Stephen Farr tombé en arrêt devant le grand fauteuil où s'asseyait toujours le vieux Simeon. Le jeune homme fronçait les sourcils et les veines se gonflaient à ses tempes. Pendant un moment, Poirot le considéra en silence, puis il dit :

– Vous évoquez des souvenirs...

– Oui. Il y a deux jours, Mr Lee était là assis... et en vie... Maintenant... (Chassant cette pensée lugubre, il dit à Poirot :) Vous m'avez amené ici pour me poser question une question.

– Ah! oui. Vous avez été paraît-il, le premier arrivé devant la porte, l'autre soir?

– Moi? Je ne m'en souviens pas. Non, il me semble qu'une des dames s'y trouvait avant moi.

– Laquelle?

– La femme de George ou celle de David... Je ne sais laquelle arriva la première.

– Vous n'avez pas entendu le cri, à ce que vous avez dit l'autre soir.

– Je ne crois pas l'avoir entendu. Je ne me souviens pas au juste. Je sais qu'on a crié, mais c'était peut-être quelqu'un en bas.

Poirot demanda alors :

– N'auriez-vous pas entendu un cri dans ce genre?

Il renversa la tête en arrière et soudain émit un cri perçant.

Ce fut si inattendu que Stephen recula et faillit tomber à la renverse. Furieux, il s'écria :

– Pour l'amour de Dieu, cessez! Vous allez effrayer toute la maisonnée. Non, je n'ai rien entendu de semblable! Ils vont croire qu'un autre meurtre a été commis.

– C'est vrai... je suis fou..., murmura Poirot, l'air confus. Partons tout de suite.

Précipitamment, il sortit de la pièce. Lydia et Alfred, au bas de l'escalier, levaient la tête. George sortit de la bibliothèque pour venir les rejoindre et Pilar arrivait en courant, un passeport à la main.

– Ce n'est rien... rien! s'écria Poirot. Calmez-vous. Je me livrais à une petite expérience.

Alfred prit un air ennuyé et George parut indigné. Poirot laissa à Stephen le soin de leur fournir des explications tandis que, d'un pas alerte, il se rendait de l'autre côté de la maison.

Au bout du couloir, le superintendant Sugden, quittant tranquillement la chambre de Pilar, vint à la rencontre de Poirot.

– Eh bien? demanda celui-ci.

L'autre secoua la tête.

– Pas un son.

Les deux hommes se regardèrent d'un air entendu.

V

– Ainsi, monsieur Poirot, disait Alfred Lee : vous... vous acceptez ma proposition?

Sa main tremblait, ses yeux marron brillaient de fièvre, et il bégayait légèrement. Lydia se tenait, silencieuse, à son côté, et le couvrait d'un œil anxieux.

– Vous ne savez pas... vous ne pouvez imaginer... ce... que... ce que cela signifie pour moi... Il f... faut absolument dé... découvrir le meurtrier de mon père.

– Du moment que vous m'assurez y avoir longuement réfléchi, eh bien, j'accepte. Mais, Mr Lee, il ne faudra pas revenir sur votre demande. Je ne suis pas un chien qu'on lance sur une piste et qu'on rappelle parce que le gibier ne plaît pas!

– Evidemment... Tout est prêt. On a préparé votre chambre. Demeurez ici aussi longtemps que vous voudrez...

– Ce ne sera pas long, répondit gravement le détective.

– Comment? Que dites-vous?

– Que ce ne sera pas long. Le cercle des suspects est si restreint qu'on doit arriver vite à la vérité. Je crois déjà approcher du but.

Alfred le dévisagea.

– Impossible!

– Pas du tout! Encore quelques détails à vérifier et la vérité éclatera!

– Connaîtriez-vous l'assassin? lui demanda Alfred, incrédule.

– Oh oui! je le connais, fit Poirot en souriant.

– Mon père... mon père, soupira Alfred.

– Mr Lee, lui dit alors Poirot, je voudrais vous présenter deux requêtes.

– Tout ce que voudrez, monsieur Poirot..., répondit Alfred d'une voix étouffée. Je vous écoute.

– D'abord je désire avoir le portrait de Mr Lee jeune homme dans la chambre que vous avez la bonté de me réserver.

Alfred et Lydia regardèrent le détective.

– Le portrait de mon père..., dit le premier. Pourquoi?

Poirot fit un geste vague de la main.

– Cela... comment dirais-je... cela m'inspirera.

– Avez-vous l'intention de découvrir le criminel par la seconde vue? lui demanda Lydia d'un ton brusque.

– Disons, madame, que j'emploierai non seulement les yeux du corps, mais aussi ceux de l'âme.

Elle haussa les épaules.

– Ensuite, Mr Lee, reprit Poirot, je vous prie de me faire connaître les circonstances de la mort de votre beau-frère, Juan Estravados.

– Est-ce bien nécessaire? fit Lydia.

– Oui, madame.

– Eh bien, dit Alfred, Juan Estravados, après une querelle au sujet d'une femme, tua un homme dans un café.

– Comment l'a-t-il tué?

Alfred jeta un regard pitoyable vers sa femme.

Lydia raconta d'une voix calme :

– Il l'a poignardé. Juan Estravados ne fut pas condamné à mort, car il y avait eu provocation, mais il alla en prison et y mourut.

– Sa fille est-elle au courant de son histoire?

– Je ne crois pas.

– Non, intervint Alfred. Jennifer ne lui a jamais rien appris concernant la mort de son père.

– Merci.

– Vous ne soupçonnez pas notre nièce..., dit Lydia au détective. Oh! ce serait absurde!

– Mr Lee, voulez-vous maintenant me parler de votre frère Mr Harry Lee? demanda encore Poirot.

– Que désirez-vous savoir?

– J'ai cru comprendre qu'il faisait le déshonneur de la famille. Comment cela?

– Il y a longtemps..., intervint Lydia.

La couleur lui montant au visage, Alfred déclara :

– Si vous voulez le savoir, monsieur Poirot, voici : Harry a volé une forte somme d'argent en imitant la signature de mon père sur un chèque. Naturellement, père n'a pas porté plainte. Harry a toujours été un filou. Il a eu des histoires dans tous les coins du monde. Il ne cessait de câbler pour demander de l'argent, afin de se tirer d'un mauvais pas. Il a connu les prisons de tous les pays.

– Voyons, lui dit sa femme, tu parles de choses que tu ignores.

– Harry ne vaut rien! déclara Alfred, furieux et les mains tremblantes. C'est un gibier de potence!

– A ce que je vois, vous ne vous aimez guère l'un l'autre, dit Poirot.

– Ce garçon a fait souffrir mon père... de façon honteuse! murmura Alfred.

Lydia soupira... Poirot lui lança un coup d'œil interrogateur.

– Si seulement on pouvait retrouver ces diamants, l'énigme serait résolue, dit-elle alors.

– On les a retrouvés, madame, lui dit Poirot.

– Comment?

– On les a trouvés dans votre petit jardin de la mer Morte..., expliqua doucement le détective.

– Dans mon jardin? s'écria Lydia. Voilà... voilà qui est extraordinaire!

– N'est-ce pas, madame? dit Poirot.

SIXIÈME PARTIE

27 DÉCEMBRE

I

– Cela s'est mieux passé que je ne le craignais! soupira Alfred Lee.

Ils venaient de rentrer chez eux, après l'audience du tribunal d'enquête.

Mr Charlton, notaire de la vieille école, à l'œil bleu observateur, y avait assisté et les avait suivis à Gorston.

– Comme je l'avais prévu, dit-il, cette audience n'a été qu'une simple formalité... L'enquête devait être reportée à plus tard pour permettre à la police de recueillir d'autres témoignages.

– Voilà qui est fort ennuyeux! s'écria George Lee, et qui nous met dans une situation bien fâcheuse! Je suis convaincu que ce crime a été commis par un fou qui a réussi à pénétrer dans la maison. Ce Sugden est têtu comme une mule. Le colonel Johnson devrait faire appel à Scotland Yard. La police locale ne vaut rien. Par exemple, il paraît que ce Horbury a un passé déplorable et la police le laisse en liberté.

– Horbury possède un alibi en ce qui concerne l'heure à laquelle Mr Lee a été tué, fit observer Mr Charlton. La police s'en montre satisfaite.

– Pourquoi? fulmina Gorge. A la place des policiers, je n'accepterais les déclarations de cet homme que sous la plus grande réserve. Naturellement, un criminel a toujours un alibi tout prêt! Il appartient aux policiers d'en démontrer la fausseté... du moins s'ils connaissent leur travail.

— Ma foi, dit Mr Charlton, ce n'est pas à nous à leur apprendre leur métier. En somme, ce sont des gens compétents.

L'air sombre, George insista :

— On devrait faire appel à Scotland Yard. Je n'ai aucune confiance dans le superintendant Sugden. Il peut être très consciencieux... mais il est loin d'être brillant.

— Je ne suis pas de votre avis, répliqua Charlton. Sugden m'a l'air d'un homme capable. Il ne fait pas d'esbrouffe, mais il arrive à ses fins.

— La police fait de son mieux, dit Lydia. Mr Charlton, voulez-vous prendre un verre de sherry?

Poliment, le notaire refusa. Puis, s'éclaircissant la voix, il commença la lecture du testament devant toute la famille réunie.

Il semblait se délecter aux passages d'une obscure phraséologie et en savourer les termes techniques.

Sa lecture terminée, il enleva ses lunettes, les essuya et parcourut l'assemblée d'un regard interrogateur.

— Je m'embrouille dans tous ces termes légaux, lui dit Harry. Voulez-vous avoir l'obligeance de nous faire connaître tout simplement les volontés de mon père?

— Voyons! s'écria le notaire, ce testament est des plus clairs.

— Alors, répliqua Harry, qu'appelez-vous un testament compliqué?

Mr Charlton lui lança un regard lourd de reproche :

— Les principales dispositions de ce testament sont très simples. La moitié des biens de Mr Lee va à son fils Alfred Lee et le reste est partagé entre les autres enfants.

Harry fit entendre un rire désagréable :

– Quel veinard, cet Alfred! La moitié de la fortune de père! Tu en as de la chance, Alfred!

L'interpellé rougit et Lydia répliqua sèchement :

– Alfred s'est toujours comporté en fils loyal et affectueux. Depuis de longues années, il fait marcher l'usine et assume de grandes responsabilités.

– Certes, dit Harry, Alfred a toujours été le garçon sérieux de la famille.

– Il me semble, Harry, que tu devrais t'estimer heureux de ce que père t'ait laissé quelque chose! remarqua Alfred d'un ton sec.

– Tu aurais préféré qu'il m'ait déshérité, n'est-ce pas? Tu m'as toujours détesté!

Mr Charlton toussota. Il avait l'habitude des scènes pénibles qui suivent la lecture d'un testament et désirait s'en aller avant que n'éclatât l'habituelle querelle de famille.

– Je... euh..., murmura-t-il, je crois que c'est tout...

– Et Pilar? demanda vivement Harry.

De nouveau, le notaire toussa... cette fois en manière d'excuse.

– Euh... Miss Estravados n'est pas mentionnée dans le testament.

– N'a-t-elle pas droit à la part de sa mère? demanda Harry.

– La senora Estravados, si elle avait vécu, aurait reçu une part égale au reste d'entre vous, expliqua Mr Charlton : mais comme elle est morte, la part qui aurait dû lui revenir doit être partagée entre vous.

– Alors... je... n'ai rien du tout? prononça lentement Pilar, de sa voix chaude de Méridionale.

– Ma chérie, intervint aussitôt Lydia, la famille y pourvoira.

– Vous habiterez ici avec Alfred, dit George à la jeune fille, n'est-ce pas, Alfred? Nous... euh... Vous êtes notre nièce. Nous avons le devoir de veiller sur vous.

– Pilar, ajouta Hilda, nous serons toujours heureux de vous avoir près de nous.

– Elle devrait avoir sa part, insista Harry, la part de sa mère.

– Il faut réellement que... que... je m'en aille, murmura Mr Charlton. Au revoir, Mr Lee. Je demeure à votre entière disposition... N'hésitez pas à me consulter si vous le jugez utile.

Il s'en alla prestement, sachant, par expérience, qu'il laissait derrière lui tous les éléments d'une querelle de famille.

– Je partage l'avis de Harry. Pilar a droit à la part de sa mère, prononça Lydia, après le départ du notaire, de sa voix harmonieuse. Ce testament a été rédigé plusieurs années avant la mort de Jennifer.

– C'est ridicule, déclara George. Lydia, vous avez des idées stupides. La loi est la loi. Nous devons nous y conformer.

– Ce n'est évidemment pas de chance et nous le regrettons tous pour Pilar, observa Magdalene. Mais George a raison. Comme il dit, la loi est la loi.

Lydia se leva et prit la jeune fille par la main :

– Cette scène doit vous être bien pénible. Voulez-vous nous laisser pendant que nous discutons ce point? (Elle accompagna Pilar à la porte et lui dit :) Ne vous tracassez pas, ma chérie. Laissez-moi faire.

Pilar sortit lentement. Lydia ferma la porte derrière elle et revint à son fauteuil.

Après une courte pause, pendant laquelle chacun retenait son souffle, la bataille fit rage.

– George, tu as toujours été un grippe-sou! s'écria Harry.

– En tout cas, rétorqua George, je n'ai pas été un tapeur et un voyou.

– Tu as toujours été aussi tapeur que moi. Est-ce que tu ne vis pas de l'argent de père depuis des années?

– Tu oublies que j'occupe une situation qui comporte de hautes responsabilités.

– Parlons-en! Tu n'es qu'une baudruche gonflée de vent!

– Comment osez-vous? s'écria Magdalene à son beau-frère.

La voix calme de Hilda s'éleva :

– Ne pourrions-nous discuter tranquillement?

Lydia lui lança un coup d'œil plein de gratitude.

– Pourquoi toutes ces honteuses querelles à propos d'argent? s'écria David avec une soudaine violence.

Magdalene s'adressa à lui d'une voix fielleuse :

– Cela vous va de faire le généreux! Allez-vous abandonner votre part d'héritage? Vous avez besoin d'argent comme les autres. Ce beau détachement n'est que de la pose!

– Croyez-vous que je doive refuser ma part? murmura David d'une voix étouffée. Je me demande...

– Certes non, lui dit Hilda... Nous nous conduisons comme des enfants. Alfred, c'est vous le chef de famille.

Alfred sembla sortir d'un rêve :

– Pardon... Mais vous criez tous. Cela... cela... m'étourdit.

– Comme vient de le faire remarquer Hilda, nous nous conduisons comme des enfants, dit Lydia. Parlons avec calme et bon sens... l'un après l'autre. Alfred le premier, en sa qualité d'aîné. Alfred, que devrions-nous faire en faveur de Pilar?

– Elle habitera ici et nous lui ferons une rente, dit Alfred. Je ne pense pas qu'elle ait le droit de réclamer la part de sa mère. Elle n'est pas une Lee, souviens-toi. Elle est sujette espagnole.

– Légalement, elle n'a aucun droit, fit Lydia, mais moralement, si. Bien que Jennifer ait épousé un étranger contre sa volonté, ton père lui a laissé sa part d'héritage comme aux autres. George, Harry, David et Jennifer avaient des parts égales. Jennifer est morte seulement l'année dernière, et je suis certaine que, lorsqu'il a fait appeler Mr Charlton, ton père songeait à donner une large part à Pilar par un nouveau testament. Il lui aurait, au moins, donné la part de sa mère. Peut-être même aurait-il fait davantage. Elle était sa seule petite-fille. A mon sens, le moins que nous puissions faire, c'est de réparer une injustice à laquelle ton père voulait remédier.

– Bien dit, Lydia! approuva Alfred de tout cœur. Je me trompais. Je suis de ton avis : Pilar doit hériter de la part que père destinait à Jennifer.

– A votre tour, Harry, dit Lydia.

– Vous savez déjà que j'y consens. Lydia vient de mettre les choses au point et je lui adresse des félicitations.

– Et vous, George? fit Lydia.

Rouge comme un homard, George bafouilla :

– Ah non! Certes non! C'est aller contre le sens commun! Qu'on lui donne un foyer et de quoi s'habiller. C'est bien assez!

– Alors, tu refuses de coopérer? demanda Alfred.

– Oui, je refuse.

– Et il a raison, dit Madgalene. C'est honteux d'exiger de lui pareil sacrifice! George étant le seul de la famille qui ait fait quelque chose de bien dans le monde, je trouve honteux que son père lui ait laissé si peu!

– Et vous, David? s'enquit Lydia.

L'interpellé répondit vaguement :

– Moi, je vous approuve, Lydia, et je déplore toutes ces disputes et ces mesquineries.

– Vous avez raison, Lydia, renchérit Hilda. Ce n'est que justice!

Harry fit du regard le tour de la famille :

– Voilà qui est réglé. Alfred, David et moi sommes en faveur de la proposition émise par Lydia. Seul, George est contre. La cause est entendue.

– Pas du tout, répliqua George d'un ton irascible. Je

maintiens mon droit à la part qui me revient par le testament de mon père. Je n'en démordrai pas d'un centime.

– Certes non! fit Magdalene.

– Libre à vous de persister dans votre façon de voir, déclara vivement Lydia. Chacun de nous donnera un peu plus pour parfaire la somme.

Elle interrogea les autres du regard et ils acquiescèrent.

– Alfred va toucher la part du lion, dit Harry après un instant de réflexion. Il devrait donner plus que nous.

– Je savais bien que ton désintéressement ne tiendrait pas longtemps, remarqua Alfred.

D'une voix ferme, Hilda les rappela à l'ordre.

– Ne recommencez pas! Lydia se chargera d'annoncer à Pilar la décision que nous venons de prendre. Nous arrangerons les détails par la suite. (Elle ajouta, dans l'espoir d'amener une diversion :) Où donc sont Mr Farr et Mr Poirot?

– Nous avons laissé Poirot dans le village en nous rendant à l'audience, lui répondit Alfred. Il disait qu'il avait à faire une emplette importante.

– Pourquoi n'était-il pas au tribunal? s'écria Harry. Il aurait sûrement dû s'y trouver!

– Il savait sans doute que cette audience ne lui révélerait rien de nouveau, répondit Hilda. Qui donc est dans le jardin? Le superintendant Sugden, ou Mr Farr?

Les efforts conjugués des deux femmes réussirent enfin à clore le conseil de famille.

Lorsqu'elles se trouvèrent seules, Lydia dit à la femme de David :

– Merci, Hilda. Vous avez été très gentille en toute cette affaire. Je me suis sentie très forte lorsque vous avez soutenu ma façon de voir.

– C'est curieux comme l'argent change les individus, fit Hilda, pensive.

– Oui, dit Lydia... Harry lui-même... bien que ce soit lui qui le premier ait fait cette suggestion! Et mon pauvre Alfred... Il est si anglais qu'il répugne à voir l'argent des Lee passer à une sujette espagnole.

Hilda sourit.

– Pensez-vous que nous autres, femmes, soyons moins attachées aux biens de ce monde? demanda-t-elle.

Lydia haussa ses gracieuses épaules.

– Oh! vous savez, en l'occurrence, il ne s'agit pas de notre argent... de notre bien personnel. Il existe une nuance!

– C'est une drôle de petite... murmura Hilda d'un air pensif. Je veux parler de Pilar. Que va-t-elle devenir?

– Heureusement, soupira Lydia, elle pourra mener une vie indépendante, grâce à l'héritage de sa mère. Elle n'aurait pu s'accommoder de la situation proposée par Alfred. Elle est trop fière et aussi... trop... trop peu anglaise, pour accepter de vivre ici et recevoir l'argent de ses toilettes. (Elle ajouta, rêveuse :) Il y a quelques années, j'avais rapporté d'Egypte un collier de lapis-lazuli. Là-bas, sous le soleil brûlant, au milieu des sables, il brillait d'un bleu chaud et merveilleux. Ici, le bleu se ternit et le collier perdit tout son éclat.

– Oui, je comprends...

Lydia s'adressa à sa belle-sœur d'un ton aimable :

– Je suis heureuse de vous connaître enfin, David et vous. Vous avez bien fait de venir tous deux.

– Pour ma part, soupira Hilda, pendant ces derniers jours, j'ai bien regretté d'être venue.

– Oui, je sais. Mais rassurez-vous, Hilda. Cette affaire n'a pas ébranlé David autant qu'on aurait pu s'y attendre. Il est si sensible que le choc aurait pu l'anéantir. Au contraire, depuis le meurtre, je le trouve bien mieux...

Hilda parut troublée.

– Vous aussi, Lydia, vous l'avez remarqué? C'est pourtant la vérité...

Pendant un moment, Hilda garda le silence et se rappela les paroles prononcées, la veille encore par son mari. D'une voix ardente, rejetant en arrière ses mèches blondes, il lui avait dit :

– Te souviens-tu, Hilda, de ce passage de la *Tosca*... lorsque Tosca allume des cierges à la tête et aux pieds de Scarpia qui vient d'expirer : « A présent... je puis lui pardonner... » Voilà ce que j'éprouve à l'égard de père. Depuis des années, je désirais lui pardonner, cela m'était impossible. Maintenant... je ne lui en veux plus. Ma rancune a disparu. Et je me sens léger comme si on m'avait enlevé un poids des épaules.

– Parce qu'il est mort? lui avait-elle demandé, en proie à une certaine crainte.

Il lui avait répliqué en bégayant un peu :

– Non, tu ne comprends pas. Ce n'est pas parce qu'il est mort, mais parce que la haine stupide qu'il m'inspirait est morte...

Hilda se rappelait cette conversation avec David.

Elle eût aimé la répéter à la femme sympathique qui se trouvait près d'elle, mais elle crut plus sage de s'en abstenir.

A la suite de Lydia, elle quitta le salon. Dans le vestibule, elles virent Magdalene, debout, devant la table et tenant à la main un petit colis. La femme de George sursauta en apercevant ses belles-sœurs.

– Oh! voici sans doute l'achat important de M. Poirot, dit-elle. Je viens de le voir poser ce paquet sur la table. Je me demande ce que cela peut bien être.

Ricanant, elle regarda Lydia et Hilda, mais ses yeux trahissaient une inquiétude et démentaient la gaieté feinte de ses paroles.

Lydia leva les sourcils :

– Je monte vivement me préparer pour le déjeuner.

Toujours sur ce ton de gaminerie affectée, mais

184

incapable de masquer son anxiété, Madgalene déclara :

— Il faut absolument que j'y jette un coup d'œil!

Elle déroula le papier et poussa une exclamation de surprise en regardant l'objet qu'elle tenait à la main.

Lydia et Hilda se retournèrent et ouvrirent de grands yeux.

— C'est une fausse moustache, balbutia Magdalene, intriguée. Pourquoi?

— Pour se déguiser, mais..., répondit Hilda.

Lydia acheva pour elle :

— Mais, M. Poirot a une fort belle moustache... bien à lui!

— Je n'y comprends rien, dit Magdalene, refaisant le paquet. C'est... de la folie. Pourquoi M. Poirot a-t-il acheté une fausse moustache?

II

Pilar quitta donc le salon pendant la discussion qui suivit la lecture du testament de son grand-père. Elle traversait lentement le vestibule, lorsque Stephen Farr rentra par la porte du jardin.

— Eh bien, lui dit-il, la réunion de famille est terminée? A-t-on lu le testament?

— Je n'ai rien... rien du tout! lui annonça la jeune fille le cœur gros. Ce testament date de plusieurs années. Mon grand-père avait légué une part de son argent à ma mère, mais puisqu'elle est morte, cet argent revient aux autres.

— C'est plutôt dur à digérer, dit Stephen.

— S'il avait vécu, il aurait modifié son testament. Il m'aurait laissé de l'argent, à moi... beaucoup d'argent! Peut-être que, plus tard, il m'aurait légué toute sa fortune!

— Ce qui eût été injuste envers le reste de la famille, répliqua Stephen souriant.

– Mais non... S'il avait fini par m'aimer plus que tous les autres.

– Quelle cupidité, ma chère Pilar!

– La vie se montre cruelle envers les femmes! Elles doivent se débrouiller de leur mieux tant qu'elles sont jeunes. Lorsqu'elles vieillissent et deviennent laides, on les délaisse.

– Il y a un peu de vérité dans ce que vous dites, mais ne vous tracassez pas, ma jolie Pilar. Les Lee s'occuperont de vous.

– Cette perspective ne me réjouit guère, déclara Pilar, nullement consolée.

– Je comprends votre répugnance à vivre dans ce pays. Pilar, aimeriez-vous habiter l'Afrique du Sud?

– Oui.

– Là-bas, il y a du soleil et de grands espaces, dit Stephen, mais on y travaille beaucoup. Etes-vous solide à la besogne, Pilar?

– Je ne sais pas, répondit-elle, hésitante.

– Vous préférez demeurer assise sur un balcon et manger des bonbons à longueur de journée, n'est-ce pas? Vous deviendrez énorme et vous aurez un triple menton.

Pilar éclata de rire.

– Voilà qui est mieux! déclara Stephen. J'ai enfin réussi à vous faire rire!

– J'espérais bien rire à Noël, soupira Pilar. Dans les livres, on raconte que les Noëls anglais sont très joyeux. On parle de gâteaux bourrés de raisins, de plum-puddings entourés de flammes et de bûches de Noël.

– A condition qu'un meurtre ne vienne tout bouleverser! Suivez-moi, Pilar. Lydia m'a montré hier ses préparatifs. Voici où se trouvent les provisions.

Il conduisit la jeune fille dans une pièce à peine plus grande qu'un placard.

– Regardez, Pilar, ces boîtes de friandises, de

pétards, de fruits confits, ces caisses d'oranges, de dattes et de noix. Et ceci...

— Oh! s'exclama Pilar, claquant des mains. Qu'elles sont jolies, ces boucles d'or et d'argent!

— On devait les pendre à un sapin avec les cadeaux pour les serviteurs. Et voici un père Noël et des petits bonshommes couverts de neige et étincelants de givre qui devaient orner la table de la salle à manger. Tenez! sont-ils beaux, tous ces ballons de couleurs différentes! Il suffit de souffler dedans pour les gonfler.

— Oh! s'exclama la jeune fille! Oh! pourrait-on en gonfler un? Lydia n'y verrait certes pas de mal. J'adore les ballons.

— Bébé! s'écria Stephen. Allons, choisissez!

— Je prends un rouge! dit Pilar.

Tous deux en prirent un et soufflèrent dedans, les joues rebondies. Pilar s'arrêta pour rire et son ballon se dégonfla.

— Vous avez l'air si drôle! dit-elle à son compagnon... avec vos joues ainsi gonflées.

Cessant de rire, elle se remit à souffler dans son ballon. Ayant ensuite fermé l'ouverture, ils les lancèrent en l'air.

— Allons dans le vestibule, conseilla Pilar. Nous aurons plus de place.

Ils s'envoyaient des ballons de l'un à l'autre et riaient follement, lorsque Poirot passa dans le vestibule et les considéra d'un air indulgent.

— Vous jouez comme des enfants, leur dit-il. Ils sont jolis, ces ballons!

— Le mien, c'est le rouge! lui dit Pilar, haletante. Il est plus gros que le sien... beaucoup plus gros. Si je le lançais dehors, il monterait jusqu'au ciel.

— Eh bien, sortons et formons un vœu en les lançant, dit Stephen.

— Voilà une bonne idée! dit Pilar.

Elle courut vers la porte du jardin suivie de Stephen. Poirot, amusé, marchait derrière eux.

– Moi, je souhaite beaucoup d'argent, annonça Pilar.

Se tenant sur la pointe des pieds, elle tenait la ficelle de son ballon, qui se raidit sous un souffle de vent. Pilar lâcha la ficelle et le ballon rouge flotta dans l'air, emporté par la brise.

– Il ne fallait pas dire votre souhait tout haut! remarqua Stephen en riant.

– Pourquoi?

– Parce que alors il ne se réalisera pas. A mon tour de former un vœu.

Il lâcha son ballon, mais ne fut pas aussi heureux que Pilar. Le ballon de Stephen flotta de côté, s'accrocha à un buisson de houx et expira avec un bruit sec.

Pilar courut vers le buisson en annonçant d'une voix tragique :

– Fini!...

Remuant du bout du pied un morceau de baudruche tombé à terre, elle dit :

– Tiens, voilà ce que j'ai ramassé dans la chambre de grand-père. Lui aussi avait un ballon, mais c'était un rose.

Poirot laissa échapper une exclamation. Pilar se tourna vers lui, curieuse.

– Ce n'est rien, lui dit-il. Je viens de faire un faux pas. (Il se tourna vers la maison.) Que de fenêtres! murmura-t-il. Mademoiselle, une maison a des yeux... et des oreilles. Je ne puis comprendre que les Anglais aiment tant les fenêtres ouvertes.

Lydia s'avançait sur la terrasse.

– Le déjeuner est prêt, annonça-t-elle. Pilar, ma chérie, tout s'est arrangé pour le mieux. Alfred vous mettra au courant de notre décision après le déjeuner. Voulez-vous entrer?

Ils pénétrèrent dans la maison. Poirot, l'air grave, fermait la marche.

Le déjeuner était terminé.

– Voulez-vous venir dans mon bureau? dit Alfred à Pilar en sortant de la salle à manger. Je voudrais vous dire un mot.

Tous deux traversèrent le vestibule et entrèrent dans le studio. Les autres se rendirent au salon. Seul, Hercule Poirot demeura dans le vestibule, les yeux fixés sur la porte de la pièce où Pilar avait disparu avec Alfred.

Soudain, le détective se rendit compte que le vieux maître d'hôtel se tenait près de lui. Tressilian paraissait gêné.

– Eh bien, Tressilian, qu'y a-t-il?

Le vieux domestique se troubla.

– Je voulais parler à Mr Lee. Mais cela m'ennuie de le déranger en ce moment.

– Il se passe quelque chose d'extraordinaire?

C'est si bizarre! Cela n'a aucun sens! murmura lentement, le vieux Tressilian.

– Dites-moi de quoi il s'agit.

– Voici, monsieur. Vous avez peut-être remarqué que, de chaque côté de la porte, il y avait un boulet de canon. Eh bien, l'un d'eux a disparu.

Poirot leva les sourcils.

– Depuis quand?

– Ils s'y trouvaient tous les deux, ce matin, monsieur. Je suis prêt à le jurer.

– Allons voir ça.

Les deux hommes sortirent devant la porte d'entrée. Poirot se baissa pour examiner le boulet restant, puis se redressa, le visage sévère.

– Qui a pu voler une chose pareille, monsieur? demanda le vieux domestique d'une voix tremblante. Cela n'a aucun sens.

– Voilà qui ne me plaît pas du tout... pas du tout! déclara Poirot.

– Qu'arrive-t-il à cette maison, monsieur? balbutia Tressilian qui l'observait avec anxiété. Depuis que mon maître a été assassiné, il y a quelque chose de changé à Gorston. Je crois vivre en plein cauchemar. Je mélange tout et parfois je me demande si mes yeux ne se trompent pas.

– Là, vous avez tort, lui dit Poirot en secouant la tête. Vous devez précisément vous fier à vos propres yeux.

– Mais j'ai la vue mauvaise... je ne vois plus aussi bien qu'autrefois. Je commets des erreurs. Je prends les gens l'un pour l'autre. Voyez-vous, je suis trop vieux pour continuer mon travail.

Hercule Poirot lui donna une tape sur l'épaule :

– Courage!

– Merci, monsieur. Vous êtes bien bon, mais l'âge est là et je suis trop vieux. Je reviens toujours vers le passé et les visages d'autrefois. Miss Jenny, Mr David et Mr Alfred, je les revois au temps de leur jeunesse... depuis ce soir où Mr Harry est arrivé ici...

– C'est bien ce que je pensais, dit Poirot. Tout à l'heure, vous disiez : « Depuis que mon maître a été assassiné... » Mais cela a commencé avant. C'est depuis l'arrivée de Mr Harry que tout vous paraît bizarre dans cette maison, n'est-ce pas?

– Oui, c'est bien cela, monsieur. Mr Harry a toujours apporté la discorde avec lui, même autrefois.

Tressilian porta les yeux vers le socle de pierre où manquait le boulet de canon.

– Qui peut l'avoir pris, monsieur? murmura-t-il. Et pourquoi? On se croirait dans une maison de fous!

– Je crains que ce ne soit pas de la folie! murmura Poirot. Mais quelqu'un court un grand danger, Tressilian.

Vivement, le détective rentra dans le vestibule.

A ce moment, Pilar sortait du bureau, une plaque

rouge sur chaque joue. Les yeux brillants, elle relevait fièrement la tête.

Comme Poirot la rejoignait, elle tapa du pied en s'écriant :

– Je n'en veux pas!

Poirot leva les sourcils.

– De quoi ne voulez-vous pas, mademoiselle?

– Alfred vient de m'apprendre que je recevrai la part que mon grand-père a laissée à ma mère, lui expliqua Pilar.

– Eh bien?

– Il m'a dit que la loi s'y opposait, mais que lui, Lydia, et les autres, considérant que cet argent me revenait en toute justice, me le rendaient.

– Eh bien? répéta Poirot.

Une fois de plus, la jeune fille tapa du pied.

– Ne comprenez-vous pas? Ils me donnent cet argent... Ils me le *donnent*!

– Je ne vois pas pourquoi vous vous offusqueriez... puisqu'ils admettent qu'en toute justice cet argent vous appartient.

– Vous ne comprenez pas...

– Au contraire, lui dit Poirot, je comprends fort bien.

– Oh!...

Elle se détourna, irritée.

On venait de sonner à la porte. Poirot jeta un coup d'œil par-dessus son épaule et aperçut la silhouette du superintendant Sugden à travers la porte vitrée. Il demanda à Pilar :

– Où allez-vous?

– Rejoindre les autres, au salon, lui répondit-elle, maussade.

– Bien, dit Poirot. Mais restez-y! Ne vous promenez pas autour de la maison... surtout dès qu'il fera sombre. Tenez-vous sur vos gardes, mademoiselle, vous courez un grand danger... un danger terrible.

Il la quitta pour aller vers Sugden.

Celui-ci attendit que Tressilian se fût enfermé dans son office. Puis il déplia un câble et le mit sous le nez de Poirot.

— Nous le tenons, cette fois! déclara-t-il. Tenez! Lisez! Cela vient de l'Afrique du Sud.

« Le fils unique d'Ebnezer Farr est mort il y a deux ans » disait le câble.

— Nous voilà renseignés, dit Sugden.

IV

La tête haute, Pilar entra fièrement dans le salon.

Elle alla droit vers Lydia qui tricotait, assise près de la fenêtre.

— Lydia, dit-elle, je viens vous avertir que je n'accepte pas cet argent. Je m'en vais d'ici... tout de suite.

Etonnée, Lydia posa son tricot :

— Ma chère enfant, Alfred a dû vous expliquer la chose très mal. Il ne s'agit nullement de charité, si c'est cette pensée qui vous blesse. Ce n'est pas un geste de générosité ou de bonté de notre part, mais une simple affaire de justice. Suivant le cours ordinaire des choses, votre mère aurait hérité de cet argent et vous en auriez bénéficié par la suite. Cet argent vous revient donc de droit... par droit de naissance.

— C'est justement parce que vous me parlez ainsi... que je ne puis l'accepter, s'écria Pilar farouche. J'ai eu beaucoup de plaisir à venir ici... Pour moi, ce fut une grande aventure, mais vous venez de tout gâter. Je m'en vais... tout de suite... et vous n'entendrez plus parler de moi...

Les sanglots étouffaient sa voix. Elle se détourna et quitta le salon en courant.

— Jamais je n'aurais cru qu'elle le prendrait de cette façon! soupira Lydia.

192

– Cette petite semble désemparée, remarqua Hilda.

George s'éclaircit la voix et déclara d'un air important :

– Euh... je vous l'avais bien dit ce matin... le principe invoqué est faux. Pilar est assez intelligente pour le comprendre et elle refuse la charité...

– Il ne s'agit pas de charité. Cet argent lui appartient de droit! s'écria Lydia.

– Elle n'est pas du tout de cet avis, observa George.

Sugden et Poirot entraient à ce moment. Le superintendant jeta un coup d'œil autour du salon et demanda :

– Ou est Stephen Farr? Je voudrais lui dire un mot.

Avant qu'une des personnes présentes ait eu le temps de répondre, Poirot leur posa une autre question :

– Où donc a passé la señorita Estravados?

Avec une joie maligne, George annonça :

– Elle va quitter cette maison, du moins elle le dit. Sans doute, est-elle déjà lasse de ses parents anglais.

– Vite!... dit Poirot à Sugden.

– Venez!

Au moment où les deux hommes entraient dans le vestibule, on entendit la chute d'un corps lourd et un cri lointain.

– Vite!... dit Poirot à Sugden.

Ils traversèrent en courant le vestibule et grimpèrent l'escalier. La porte de la chambre de Pilar se trouvait ouverte et un homme se tenait sur le seuil. C'était Stephen Farr.

– Elle l'a échappé belle!... annonça-t-il.

Pilar, appuyée contre le mur de sa chambre, les yeux agrandis par la peur, regardait sur le plancher un gros boulet de canon en pierre.

– Cette boule était posée en équilibre sur le haut de

ma porte, expliqua-t-elle haletante. Elle m'aurait écrasée si ma robe n'avait été prise à une pointe et ne m'avait retenue au moment où j'entrais.

Poirot s'agenouilla et étudia la pointe sur laquelle il découvrit un fil de laine rouge. Il leva vers Pilar un visage grave :

— Mademoiselle, cette pointe vient de vous sauver la vie.

— Voyons! Que signifie tout ceci? s'écria le superintendant l'air effaré.

— Quelqu'un a voulu me tuer! lui dit Pilar.

Le superintendant Sugden regarda la porte :

— Une farce stupide... mais avec une intention criminelle. Cette fois-ci, l'assassin a raté son coup!

— Dieu merci! vous êtes sauve! dit Stephen Farr à Pilar d'une voix rauque.

Pilar lança ses mains en avant, en un geste éloquent.

— Madre de Dios! s'écria-t-elle. Pourquoi a-t-on voulu me tuer? Qu'ai-je fait?

— Demandez plutôt « que sais-je? », mademoiselle.

— Moi? dit Pilar, surprise. Je ne sais rien, monsieur Poirot.

— Vous vous trompez, mademoiselle. Dites-moi, miss Pilar, où étiez-vous au moment du crime? Vous n'étiez pas dans cette chambre.

— J'y étais. Je vous l'ai déjà dit!

— Vous ne disiez pas la vérité, mademoiselle, lui fit observer le superintendant avec une douceur feinte. Vous prétendiez aussi avoir entendu le cri de votre grand-père... Vous n'auriez pu l'entendre d'ici... M. Poirot et moi en avons fait l'expérience hier.

— Oh!

Pilar demeura suffoquée.

— Vous vous trouviez bien plus près de la chambre de votre grand-père, lui dit Poirot. Je crois, mademoiselle, que vous étiez dans le renfoncement où sont les statues, tout près de la porte de Mr Simeon Lee.

Pilar sursauta :

– Oh!... Comment le savez-vous?

Poirot sourit.

– Mr Farr vous y a vue.

– Ce n'est pas vrai! déclara Stephen Farr. Ce n'est pas vrai!

– Je vous demande pardon, lui dit Poirot, vous l'avez vue. Rappelez-vous votre impression. Vous avez cru voir trois statues, alors qu'il n'y en a que deux. Ce soir-là, une seule personne était habillée de blanc : miss Estravados. C'était elle, la troisième statue. C'est bien cela, n'est-ce pas, mademoiselle?

– Oui, c'est vrai.

– Voyons, mademoiselle, lui dit gentiment Poirot, parlez franchement. Que faisiez-vous là?

– Après le dîner, laissant les dames au salon, je suis montée chez mon grand-père, pensant lui faire plaisir. Mais, arrivée dans le couloir, j'ai constaté que quelqu'un se trouvait déjà devant sa porte. Craignant d'être vue, car grand-père avait défendu de lui rendre visite, ce soir-là, je me suis glissée dans le renfoncement... Soudain, j'ai entendu des bruits horribles... Tables, chaises, porcelaines renversées et brisées. Je n'ai pas bougé. La peur me clouait sur place. Alors, un cri effrayant s'est élevé – Pilar se signa –, mon cœur a cessé de battre et je me suis dit : « Quelqu'un est mort. »

– Et ensuite?

– Ensuite tous les gens de la maison sont arrivés par le couloir. Je suis sortie de ma cachette et me suis mêlée à eux.

– Vous n'avez rien dit de tout cela quand on vous a interrogée. Pourquoi? lui demanda le superintendant d'un ton sévère.

– Il n'est pas prudent d'en dire trop long à la police. Si je vous avais appris que je me trouvais si près, vous auriez pu penser que c'était moi la coupable. J'ai préféré dire que j'étais dans ma chambre.

– En mentant délibérément, vous ne réussirez qu'à attirer sur vous les soupçons.

Stephen Farr s'adressa à la jeune fille :

– Dites-nous, Pilar...

– Quoi donc?

– Qui se trouvait debout près de la porte quand vous débouchiez dans le couloir?

– Oui, dites-nous qui se trouvait déjà là? insista à son tour Sugden.

La jeune fille hésita. Elle ouvrit de grands yeux et prononça lentement :

– Je ne puis dire qui c'était. Il faisait trop sombre, mais c'était une femme...

V

On avait réuni tout le monde au salon et le superintendant Sugden observait le cercle des visages anxieux. L'air presque irrité, il s'adressa au détective :

– Voilà un procédé plutôt irrégulier, monsieur Poirot.

– C'est une petite idée à moi, déclara Poirot. Je désire faire connaître à tous les renseignements que j'ai recueillis. Ensuite, chacun m'apportera sa contribution dans la recherche de la vérité.

– Encore des singeries! murmura Sugden, à part lui.

Et il se renversa sur le dossier de sa chaise.

– Tout d'abord, lui dit Poirot, vous aviez une explication à demander à Mr Farr, il me semble.

Sugden serra les lèvres.

– J'aurais préféré un public plus restreint. Ma foi, tant pis! (Il tendit le câble à Stephen Farr.) Mr Farr, puisque c'est sous ce nom que vous vous êtes présenté ici, pouvez-vous m'expliquer ceci?

Les sourcils levés, Stephen Farr lut lentement et tout haut le câble. Puis, avec un salut, il le rendit au chef de police et dit :

– C'est plutôt embarrassant, n'est-ce pas?

– C'est tout ce que vous trouvez à dire? fit Sugden. Rien ne vous oblige à faire votre déposition...

– Inutile de me faire la recommandation d'usage, l'interrompit Stephen Farr, monsieur le superintendant. Je la devine sur le bout de votre langue. Je vais vous fournir l'explication de ce câble. Je peux vous paraître ridicule, mais je parle en toute franchise.

Après une pause, il commença :

– Je ne suis pas le fils d'Ebnezer Farr; mais je connaissais très bien le père et le fils Farr. Je m'appelle Stephen Grant. Essayez un instant de vous mettre à ma place. Je débarque dans un pays où tout me paraît triste et morne. Dans le train, je vois une jeune fille, et, je vous l'avoue sans détours, j'en tombe tout de suite amoureux. Elle est jolie, séduisante et je m'arrange pour lui parler. Je décide alors de ne pas la perdre de vue. En quittant son compartiment, j'aperçois l'étiquette de sa valise. Son nom ne me dit rien, mais il en va autrement de l'endroit où elle se rend. J'ai souvent entendu parler du manoir de Gorston et de son propriétaire, par l'ancien associé de Mr Lee, Ebnezer Farr.

» L'idée me vient alors de me rendre à Gorston et de me faire passer pour le fils d'Ebnezer. Ainsi que vous l'apprend ce câble, le fils d'Ebnezer mourut il y a deux ans, mais le vieux Ebnezer m'a dit plus d'une fois que, depuis des années, il était sans nouvelles de son ami anglais, et Simeon Lee ne devait pas connaître la mort du jeune Farr. En tout cas, cela m'amusait de jouer cette farce.

– Vous avez pourtant attendu avant de mettre votre projet à exécution, remarqua Sugden, puisque vous avez passé deux jours à Addlesfield, à l'auberge des *Armes du Roi*.

– En effet, je me demandais si ce que j'entreprenais était bien prudent, et en fin de compte je me décidai à tenter l'aventure. Tout marcha à souhait. Le vieux Mr Lee m'accueillit très cordialement et m'invita à passer les fêtes chez lui. J'acceptai. Et voilà l'explication, Mr Sugden. Si elle vous paraît invraisemblable, reportez-vous à l'époque où vous courtisiez une jeune fille. De quelle folie n'est-on pas capable, dans ces moments-là? Comme je vous l'ai dit, mon vrai nom est Stephen Grant. Vous pouvez câbler en Afrique du Sud pour le vérifier, mais je vous préviens : on vous répondra que je suis un citoyen respectable et nullement un voyou ou un voleur de bijoux.

– Je n'ai jamais pensé le contraire, observa Poirot.

Le superintendant se caressa la joue.

– Il faudra que je contrôle cette histoire, dit-il. En attendant, je voudrais savoir pourquoi vous ne nous avez pas raconté cela tout de suite après le crime au lieu de nous avoir menti.

– Je me suis conduit comme un imbécile! déclara Stephen, d'un ton désarmant. J'espérais m'en tirer ainsi. Si je vous avais dit que j'étais entré dans cette maison sous un faux nom, vous m'auriez suspecté. D'autre part, si je n'avais pas été un idiot, j'aurais compris que vous alliez câbler à Johannesburg.

– Mr Farr, je ne mets pas en doute votre parole, grommela Sugden. Du reste, nous n'allons pas tarder à savoir si vous nous dites la vérité.

Il lança vers Poirot un regard interrogateur.

– Il me semble que Miss Estravados a quelque chose à nous apprendre, dit Poirot.

– Oui. Je me serais tue sans cette histoire d'héritage et les paroles prononcées par Lydia, murmura Pilar, très pâle. Venir ici jouer la comédie et me faire passer pour une autre, cela m'amusa follement, mais quand Lydia a déclaré que cet argent me revenait par droit de naissance, j'ai compris que cela ne pouvait plus durer.

— Je ne vous comprends pas du tout, mon enfant, s'écria Alfred, l'air intrigué.

— Vous me prenez pour votre nièce, pour Pilar Estravados? Mais c'est faux! Pilar et moi voyagions ensemble en Espagne. Une bombe est tombée sur notre voiture; elle a été tuée, et moi, j'étais indemne. Je ne la connaissais pas intimement, mais elle m'avait raconté l'histoire de sa famille, qui l'attendait en Angleterre. Son grand-père, un gentleman très riche, l'appelait auprès de lui. Sans argent, ne sachant où aller ni que faire, je songeai : Pourquoi ne prendrais-je pas le passeport de Pilar pour me rendre en Angleterre et devenir très riche à sa place?

Son visage s'épanouit en un large sourire.

— Je m'amusai à échafauder des plans, et je me demandais si je m'en tirerais. Sur la photographie, le visage de Pilar ressemblait un peu au mien. Lorsque M. Poirot m'a demandé mon passeport, j'ai ouvert la fenêtre et je l'ai lancé dehors, puis j'ai couru le ramasser et barbouiller un peu la photo avec de la terre. Au cours du voyage, les employés ne regardent pas de si près, mais ici...

— Ainsi, vous avez trompé mon père en vous présentant comme sa petite-fille, s'écria Alfred Lee, furieux, et vous songiez à exploiter son affection pour vous?

Pilar acquiesça, satisfaite d'elle-même :

— Oui, j'ai compris tout de suite qu'il m'aimerait beaucoup.

— Inouï! s'exclama George Lee. Mais c'est un crime! Soutirer de l'argent en se faisant passer pour une autre!

— En tout cas, toi tu ne lui as rien donné, mon vieux! rétorqua Harry. Pilar, j'admire votre audace et je vous conserve toute mon amitié. Dieu merci, je ne suis plus votre oncle!

— Vous saviez. Depuis quand? demanda Pilar à Poirot.

Le détective sourit.

– Mademoiselle, si vous aviez étudié les lois de Mendel, vous sauriez que deux personnes ayant les yeux bleus, ne peuvent engendrer un enfant aux yeux noirs, et Mme Estravados était, j'en suis convaincu, une épouse fidèle. J'en conclus aisément que vous n'étiez pas Pilar Estravados. Le petit truc du passeport tombé dans le jardin n'a servi qu'à confirmer mon opinion. C'était ingénieux, mais pas assez pour Hercule Poirot.

– Je ne vois rien de très ingénieux dans toute cette histoire, déclara le superintendant d'un ton bourru.

Pilar le dévisagea.

– Je ne comprends pas...

– Il me semble qu'il vous reste encore beaucoup de choses à nous apprendre, lui dit Sugden.

– Laissez-la donc tranquille! s'écria Stephen.

– Vous prétendez être montée chez votre grand-père après dîner, tout simplement pour lui faire plaisir, poursuivit Sugden sans l'écouter. Je ne le crois pas. C'est vous qui avez volé les diamants. Après vous les avoir montrés, il vous a sans doute demandé de les remettre en place dans le coffre-fort et... il ne vous a pas surveillée. Lorsqu'il a découvert leur disparition, il a compris que seules, deux personnes pouvaient les avoir enlevés : Hosbury, qui aurait pu connaître la combinaison et ouvrir le coffre pour les voler pendant la nuit... et vous.

» Alors, Mr Lee m'a téléphoné de venir le voir. Il vous a prié de monter chez lui après dîner. Vous y êtes allée et il vous a accusée du vol. Vous avez nié. Il a poursuivi l'accusation. J'ignore ce qui a pu se passer par la suite... peut-être avait-il découvert que vous n'étiez pas sa petite-fille, mais une voleuse professionnelle. Quoi qu'il en soit, voyant la partie perdue, menacée d'être traînée devant les tribunaux, vous vous êtes jetée sur lui, armée d'un couteau. Il y a eu lutte et il a crié. Précipitamment, vous êtes sortie de la chambre, et vous avez tourné la clef de l'extérieur. Alors, comprenant qu'il vous était impossible de fuir avant l'arrivée des autres, vous vous êtes glissée dans le renfoncement à côté des statues.

– C'est faux! s'écria Pilar d'une voix aiguë. C'est faux! Je n'ai pas volé les diamants! Je ne l'ai pas tué! Je le jure par la Sainte Vierge!

– Alors, qui est la coupable? dit Sugden. Vous prétendez avoir vu une femme, devant la porte de Mr Lee. D'après votre récit, ce n'était autre que la meurtrière. Personne n'a passé devant les statues! D'autre part, vous seule avez vu cette femme. Vous l'avez sans doute inventée pour vous disculper.

– Bien sûr, c'est elle la coupable! intervint George Lee d'un ton incisif. La chose est claire. J'avais toujours dit qu'un étranger à la famille avait tué mon père! Quelle bêtise de croire qu'un des siens aurait commis un pareil crime! Ce n'était pas naturel!

Poirot s'agita sur son siège :

– Je ne suis pas de votre avis. Etant donné le caractère de Simeon Lee, la chose me paraît très naturelle, au contraire.

– Hein? fit George, laissant tomber sa mâchoire et regardant fixement le détective.

– Selon moi, reprit Poirot, c'est même ce qui est arrivé. Simeon Lee a été tué par un des siens, qui croyait avoir une bonne raison de le supprimer.

– Un de nous? s'écria George. Je proteste...

Poirot l'interrompit d'une voix ferme.

– Tous ici présents vous pouvez être suspectés. D'abord vous, Mr George Lee. Vous n'aimiez pas votre père. Vous demeuriez en bons termes avec lui, à cause de la fortune. Il avait menacé de diminuer votre rente et vous saviez qu'à sa mort vous hériteriez d'une assez grosse somme. Voilà un mobile plausible. Après dîner, vous avez téléphoné. Oui, mais la conversation ne dura que cinq minutes. Ensuite, vous avez pu monter chez votre père, sous prétexte de bavarder avec lui, et alors vous l'avez tué. En quittant sa chambre, vous avez tourné la clef par l'extérieur, espérant qu'on y verrait un cambriolage suivi de meurtre. Dans votre panique, vous avez oublié d'ouvrir la fenêtre pour permettre à votre cambrioleur de fuir. C'était stupide; mais, pardonnez-moi, je ne vous crois pas très intelligent.

» Cependant, ajouta Poirot après une légère pause, pendant laquelle George essaya en vain de parler, bien des sots ont été des criminels.

Le détective se tourna ensuite vers Magdalene

— Madame possède également un mobile. Elle a, il me semble, beaucoup de dettes, et certaines remarques de votre père ont pu l'irriter. Elle, non plus, n'a pas d'alibi. Elle alla au téléphone, mais elle n'a pas téléphoné et nous n'avons que sa parole en ce qui concerne ce qu'elle faisait à l'heure du crime.

» Passons maintenant à Mr David Lee. Plusieurs fois, on nous a parlé de l'esprit rancunier et de la soif de vengeance très tenaces dans la famille Lee. Mr David Lee n'oublia jamais, ou plutôt ne pardonna jamais à son père d'avoir maltraité sa mère. Un dernier sarcasme, lancé par le vieillard contre la morte, a fait déborder le vase. David Lee jouait du piano au moment du crime. Par une coïncidence bizarre, il jouait la *Marche funèbre*. Supposons qu'une autre personne jouait cette *Marche funèbre*... une personne au courant du crime qu'il allait commettre et qui l'approuvait.

D'une voix calme, Hilda prononça :

— Voilà une suggestion épouvantable !

Poirot se tourna vers elle :

— Je vous en propose une autre, madame. C'est vous qui avez commis le crime. Vous êtes montée sans bruit pour exécuter un homme que vous jugiez indigne de tout pardon. Madame, vous devez être terrible dans la colère...

— Je n'ai pas tué mon beau-père, déclara Mrs David Lee.

— M. Poirot a tout à fait raison, insista le superintendant Sugden. On peut vous suspecter tous, sauf Mr Alfred Lee, Mr Harry Lee et Mrs Alfred Lee.

— Je ne ferai même pas ces trois exceptions, intervint Poirot.

— Voyons! tout de même, monsieur Poirot! fit Sugden.

— Et pour quelle raison me suspectez-vous? demanda Lydia.

Elle souriait d'un air ironique, les sourcils levés.

Poirot s'inclina :

— Je n'insiste pas sur le mobile, madame, il est assez visible. Quant à votre alibi, je vous rappellerai que Tressilian, le maître d'hôtel, est myope et ne voit que vaguement les objets éloignés. D'autre part, votre salon est vaste et éclairé par des lampes aux abat-jour épais. Une minute ou deux avant qu'on entendît les bruits en haut, Tressilian vient dans le salon pour enlever les tasses à café. Il croit vous avoir vue dans une attitude familière devant la fenêtre, à demi cachée par les lourds rideaux.

— Il m'a vue là, monsieur, rétorqua Lydia.

— Vous portiez une jolie toilette à fleurs avec une cape, reprit Poirot. Il est possible que Tressilian ait vu la cape de votre robe arrangée devant le rideau de la fenêtre pour donner l'impression que vous vous teniez debout à cet endroit.

— Mais j'y étais..., déclara Lydia.

— Comment osez-vous..., commença Alfred.

— Laisse-le parler, Alfred, l'interrompit Harry. Notre tour va venir. Comment ce cher Alfred aurait-il pu tuer son père bien-aimé, alors qu'il se trouvait avec moi dans la salle à manger à ce moment-là?

Poirot le regarda d'un air triomphant :

— C'est très simple. Un alibi gagne à être soutenu par un ennemi. Vous ne vous entendez pas, tous les

203

deux. Chacun le sait. En public, vous lancez des pointes à votre frère Alfred et il n'a jamais une bonne parole pour vous! Et si ce n'était là qu'une habile machination? Alfred Lee, las de supporter les caprices d'un père exigeant, a pu faire appel à vous. Ensemble, vous avez dressé votre plan. Vous arrivez à la maison. Alfred semble mécontent et jaloux. De votre côté, vous paraissez l'accabler de votre mépris et de vos sarcasmes. Le soir du crime, suivant le plan élaboré longtemps à l'avance, l'un de vous reste dans la salle à manger, parlant ou querellant tout haut comme si deux personnes se trouvaient en présence. L'autre monte et commet le meurtre...

Alfred bondit en avant.

— Monstre! s'écria-t-il. Monstre inhumain...

Il ne put en dire davantage.

Sugden écarquillait les yeux et observait Poirot.

— Croyez-vous réellement?...

— Je voulais vous montrer ce qui aurait pu se produire! Comment les faits se sont-ils passés? Pour l'apprendre, abandonnons les apparences pour la réalité... Revenons donc au caractère de Simeon Lee.

VI

Il y eut une pause. Si étrange que cela puisse paraître, l'indignation et les rancœurs s'apaisèrent subitement. Hercule Poirot tenait son public sous le charme de sa personnalité. Tous le regardaient, fascinés, et il commença lentement :

— La victime est le centre du mystère. Nous devons fouiller profondément dans le cœur et l'esprit de Simeon Lee pour découvrir ce qui s'y cache. Un homme vit et meurt... mais il se perpétue par ceux qui viennent après lui...

» Qu'a transmis Simeon Lee à ses fils et à sa fille? Tout d'abord son orgueil... et cet orgueil a été mortifié chez le vieillard déçu dans sa progéniture. Il leur a aussi légué sa patience. Nous avons entendu dire que Simeon Lee attendait, des années durant, l'heure de la vengeance. Nous remarquerons que ce trait de son caractère se rencontre dans celui de ses fils qui lui ressemble le moins physiquement. David Lee, lui aussi, est capable de se souvenir et d'entretenir son ressentiment pendant de longues années. Harry Lee est celui qui, de visage, ressemble le plus à son père. Cela frappe quand on étudie le portrait de Simeon Lee, du temps de sa jeunesse : même nez aquilin, même mâchoire forte et anguleuse, même port de la tête. Harry a également hérité beaucoup des manières de son père... par exemple, cette habitude de rejeter la tête en arrière en éclatant de rire, et aussi celle de se passer l'index le long de la mâchoire.

» Convaincu que le meurtre a été commis par une personne touchant de très près la victime, j'observe les membres de la famille du point de vue psychologique. En d'autres termes, je m'efforce de découvrir lesquels parmi eux sont, psychologiquement parlant, des criminels en puissance. Je ne vois que deux personnes : Alfred Lee et Hilda Lee, la femme de David. David me paraît d'un tempérament trop délicat et trop sensible pour affronter l'effusion de sang d'une gorge tranchée. De même, j'écarte George et sa femme. Je les juge trop prudents pour courir un si gros risque. Mrs Alfred Lee ne peut recourir à un acte de violence; l'ironie est plutôt son arme. Pour ce qui est de Harry, j'hésite. Il possède une certaine brutalité apparente, mais en dépit de ses outrances verbales et de sa façon de bluffer, je le tiens plutôt pour un faible. Je connais maintenant l'opinion de son père. « Harry, a-t-il dit, ne vaut pas mieux que les autres. » Il ne me reste donc que les deux personnes déjà nommées : Alfred Lee et Hilda Lee.

» Alfred Lee est capable d'une réelle affection et d'un grand désintéressement. Pendant de longues années, il a soumis sa volonté à celle de son père, mais un jour ou l'autre, tout a pu se briser en lui. En outre, il nourrissait peut-être contre son père un ressentiment qui n'a fait que croître, précisément parce qu'il ne trouvait aucun exutoire. Les hommes les plus calmes et les plus doux sont souvent capables d'une extrême violence lorsqu'ils perdent le contrôle de leurs actes. L'autre personne que je considère comme capable d'avoir commis le meurtre est Hilda Lee. Elle appartient à cette classe de gens qui, guidés par de nobles sentiments, n'hésitent pas à se substituer à la justice... Ces personnes-là jugent et exécutent la sentence. Nous en trouvons des exemples dans l'Ancien Testament : citons Jahel et Judith.

» A ce point de mes investigations, je réfléchis sur les circonstances accompagnant le crime... et j'en demeure stupéfait. Reportez-vous en esprit dans la chambre où gît le vieux Simeon Lee. Si vous vous en souvenez, il y avait pêle-mêle, sur le plancher, une table, une chaise, une lampe, des objets en porcelaine, des verres, etc. Ce qui m'étonne, c'est le poids de la table et de la chaise, toutes deux en acajou massif. Je ne puis admettre qu'une lutte entre un homme aussi frêle que le vieux Mr Lee et son adversaire ait déterminé la chute de ces meubles très lourds. La chose me paraît impossible... à moins que Simeon Lee n'ait été tué par un homme fort qui tenait à donner l'impression que l'assaillant était un être physiquement faible.

» Mais une telle idée ne me satisfait point. Le bruit occasionné par ce bouleversement des meubles devait jeter l'alarme, et laisser très peu de temps au meurtrier pour se sauver. Il était plus sûr de couper le cou de Simeon Lee avec le moins de bruit possible.

» Autre chose m'intrigue : Pourquoi la clef a-t-elle été tournée de l'extérieur? Je n'en vois pas la raison. Ce ne pouvait être pour laisser croire à un suicide puisque rien dans cette mort ne justifie l'hypothèse d'un suicide. Est-ce pour expliquer la fuite par la fenêtre? Mais dans l'état où se trouvent les fenêtres, il est impossibile que le meurtrier soit descendu par là! En outre, intervient la question du temps... ce temps si précieux pour le criminel!

» Un incident nouveau m'a laissé perplexe : en pénétrant dans la chambre, quelqu'un a ramassé sur le parquet un morceau de caoutchouc provenant du sac à éponge de Simeon Lee, et une petite cheville en bois. Le superintendant Sugden me les a montrés... la présence de ces objets n'a aucun sens... et ne m'explique rien! Et cependant, ils s'y trouvaient.

» Ce crime, comme vous le voyez, devient de plus en plus mystérieux. Ni ordre ni méthode... enfin, je le juge déraisonnable.

» Et voici que surgit une nouvelle complication. Le superintendant Sugden a été appelé par le vieux Simeon : un vol venait d'être commis à Gorston et Mr Lee priait le policier de revenir dans une heure et demie. Pourquoi? Pourquoi? Si Simeon Lee suspectait sa petite-fille ou un autre membre de sa famille, pourquoi ne demandait-il pas au policier d'attendre en bas, tandis qu'il s'entretiendrait avec la personne suspectée? Le superintendant se trouvant dans la maison, Mr Lee aurait pu exercer une pression plus forte sur le coupable.

» Nous voici donc à un point où non seulement la conduite du meurtrier semble extraordinaire, mais aussi la conduite de Simeon Lee.

» Je me dis alors : « Tout cela est faux! » Pourquoi? Parce que nous considérons les choses sous un mauvais angle, sous celui que désire nous voir adopter le meurtrier...

» Nous sommes en présence de trois choses absurdes : la lutte, la clef tournée de l'extérieur et le bout de caoutchouc. Je me creuse la cervelle pour essayer d'y voir un peu plus clair et je songe : Une lutte implique la violence... des objets brisés et du bruit... Pourquoi tourne-t-on la clef dans une serrure? Pour que personne n'entre dans la pièce. Mais on y a pénétré quand même, en brisant la porte, presque aussitôt après le meurtre. Quant au bout de caoutchouc, ce n'est qu'un bout de caoutchouc!

» Vous me direz : Toutes ces réflexions ne vous ont guère avancés... Ce n'est pas tout à fait vrai, car il m'en reste une impression de vacarme et de stupidité incompatibles avec le caractère de mes deux criminels éventuels. Alfred Lee et Hilda Lee eussent préféré un meurtre silencieux et n'eussent point perdu leur temps à fermer la porte de l'extérieur au moyen d'une pince. D'autre part, à quoi rime ce morceau de caoutchouc? A rien!

» Et pourtant, j'ai la conviction que ce crime, tout absurde qu'il paraisse, est exécuté suivant un plan habilement échafaudé. Le criminel a réussi... et tout se passe comme il l'a prévu...

» A force de réfléchir, j'aperçois une première lueur...

» Du sang... Tant de sang... du sang partout. Du sang tout frais, et brillant...

» Tant de sang... trop de sang...

» Une idée se présente à mon esprit : c'est le sang de Simeon Lee qui s'élève contre lui...

Hercule Poirot se pencha en avant.

– Deux phrases, prononcées inconsciemment par deux personnes différentes, m'ont beaucoup aidé à résoudre l'énigme. Mrs Alfred Lee a cité un vers de *Macbeth* : « Qui eût cru que le vieillard avait en lui tant de sang? » L'autre phrase a été prononcée par Tressilian, le maître d'hôtel. Il m'expliquait qu'il éprouvait certains troubles cérébraux et s'imaginait voir les mêmes faits se reproduire. Cette étrange impression était occasionnée par une circonstance toute fortuite : il entend sonner à la porte, va ouvrir et reçoit Harry Lee. Le jour suivant, même coup de sonnette et cette fois, c'est Stephen Farr.

» D'où lui vient ce sentiment? Regardez Harry Lee et Stephen Farr et vous comprendrez tout de suite. Ils se ressemblent de façon étonnante! Voilà pourquoi l'apparition de Stephen Farr rappelait à Tressilian l'acte de la veille, lorsqu'il ouvrit la porte à Harry Lee. Il croyait revoir le même homme. Aujourd'hui encore, Tressilian m'explique qu'il prenait les gens les uns pour les autres. Rien d'étonnant! Stephen Farr a aussi un nez busqué, il rejette la tête en arrière lorsqu'il rit et a la manie de se caresser la joue avec l'index. Etudiez longuement le portrait de Simeon Lee jeune homme, et vous y retrouverez non seulement les traits de Harry Lee, mais ceux de Stephen Farr également.

Stephen s'agita sur sa chaise. Poirot reprit :

– Rappelez-vous la tirade de Simeon Lee contre les mâles de sa famille. Il s'écriait qu'il avait sûrement, de par le monde, des bâtards plus dignes de lui que n'importe lequel de ses fils légitimes! Cela nous ramène encore au caractère de Simeon Lee, ce coureur de femmes, qui brisa le cœur de son épouse!... Simeon Lee qui se vanta devant Pilar d'avoir un bataillon de fils presque tous du même âge! J'en arrive donc à cette conclusion : Simeon Lee n'avait pas seulement sous son toit sa famille légitime, mais un enfant de son propre sang, qu'il ne connaissait pas.

Stephen se leva.

– C'est pour cette raison, dit Poirot, que vous êtes venu à Gorston, n'est-ce pas?... et non pour retrouver la jolie fille rencontrée dans le train! Vous étiez décidé à venir ici avant de l'avoir vue. Vous vouliez savoir quel genre d'homme était votre père...

Blanc comme un linge, Stephen prononça d'une voix rauque et brisée :

– Oui, je désirais le connaître... Mère en parlait souvent. Le voir devint chez moi une obsession. Dès que j'eus gagné un peu d'argent, je vins en Angleterre... pour me présenter comme le fils d'Ebnezer. Je n'avais qu'une idée en tête : connaître l'homme qui était mon père... sans lui révéler mon identité.

– Seigneur! murmura le superintendant Sugden. Faut-il que j'aie été aveugle... Je le vois à présent. Deux fois je vous ai pris pour Mr Harry Lee avant de constater ma méprise. Cependant, je n'avais pas deviné. (Il se tourna vers Pilar :) C'est lui, n'est-ce pas? C'est Stephen Farr que vous avez vu debout devant la porte de votre grand-père? Vous avez hésité avant de répondre, je m'en souviens. Vous lui avez jeté un coup d'œil avant de dire que c'était une femme. C'est Farr que vous avez vu, mais vous ne vouliez pas le vendre.

On entendit alors un léger froissement de soie. Hilda Lee parla de sa voix grave :

– Non. Vous vous trompez. C'est moi que Pilar a vue...

– Vous, madame? fit Poirot. Oui, je le pensais...

– L'instinct de conservation est une chose bizarre, murmura Hilda, très calme. Je ne me croyais pas aussi lâche. La peur m'a réduite au silence.

– Parlez à présent, lui dit Poirot.

Elle commença son récit :

– Je me trouvais avec David dans la salle de musique. Il jouait, mais il était d'humeur bizarre, je me reprochais d'avoir insisté pour qu'il vînt ici. Il se mit à jouer la *Marche funèbre*. Soudain, je pris une décision. Je quittai la salle de musique et montai chez Mr Lee pour lui exposer les raisons de notre départ. Je frappai à sa porte. Pas de réponse. Je tournai alors la poignée. La porte était fermée à clef. Puis, comme j'attendais, hésitante, j'ai entendu un bruit à l'intérieur de la pièce...

» Vous ne me croyez peut-être pas, mais il y avait quelqu'un dans la chambre... qui se battait avec Mr Lee. J'ai entendu renverser des tables et des chaises, briser des objets en verre et en porcelaine... puis un cri horrible s'est élevé... et tout est retombé dans le silence.

» Je demeurai là, paralysée! Impossible de bouger! Alors Mr Farr est arrivé en courant avec Magdalene et les autres. Mr Farr et Harry ont brisé la porte au moyen d'un banc et... il n'y avait personne dans la chambre... sauf Mr Lee baignant dans son sang.

Après une pause, elle s'écria :

– Il n'y avait que lui dans sa chambre... personne d'autre! Et personne n'est sorti de la chambre.

VII

Le superintendant Sugden poussa un profond soupir :

– Ou je deviens fou... ou tous les autres perdent la tête. Vous venez de nous raconter une histoire stupide, Mrs Lee!

– Je vous ai dit que je les ai entendus se battre dans la pièce, répliqua Hilda Lee, et que j'ai entendu le cri du vieux monsieur quand on lui a tranché la gorge... et, cependant, personne n'est sorti de la chambre!

– Et vous avez gardé le silence pendant tout ce temps, lui dit Poirot.

– Si j'avais parlé, vous auriez conclu que c'était moi qui avais tué mon beau-père.

Poirot secoua la tête.

– Non, ce n'est pas vous... C'est son fils.

– Je jure devant Dieu ne l'avoir pas touché! protesta Stephen Farr.

– Pas vous! dit Poirot. Il avait d'autres fils.

– Que diable nous chantez-vous? intervint Harry.

George regarda fixement devant lui et David se passa la main sur les yeux. Alfred clignait des paupières.

– Le soir de mon arrivée ici, dit alors Poirot, le soir du meurtre... j'ai vu un spectre... Le spectre du mort!

Lorsque je vis Harry Lee, je demeurai perplexe. J'avais l'impression de l'avoir déjà rencontré. J'étudiai les traits de son visage et constatai sa grande ressemblance avec son père. Je pensais que de là venait cette impression de déjà vu.

» Or, hier, un homme assis devant moi rejeta sa tête en arrière en riant... Je sus alors qui me rappelait Harry Lee. Je retrouvai chez un autre individu les traits du mort.

» Rien d'étonnant si le pauvre vieux Tressilian se troubla lorsqu'il alla ouvrir la porte, non pas à deux, mais à trois hommes qui se ressemblaient beaucoup. Quoi de surprenant s'il fit des confusions de personnes puisqu'il y avait dans la maison trois hommes qui, à quelque distance, pouvaient passer l'un pour l'autre? Même taille, mêmes gestes – en particulier, cette manie de se caresser la joue –, même habitude de rire en rejetant la tête en arrière, même nez fortement busqué. Pourtant, la ressemblance n'était pas toujours facile à percevoir... car l'un d'eux portait une moustache.

Se penchant vers ses auditeurs, Poirot ajouta :

– On oublie trop souvent que les policiers sont des hommes comme les autres et ont femmes, enfants, mères... et pères. Si vous vous en souvenez, Simeon Lee avait une très mauvaise réputation. Coureur de femmes, il brisa le cœur de son épouse. Un enfant bâtard peut hériter des qualités physiques et morales de son père; il peut hériter de son orgueil, de son esprit rancunier et même de ses manies.

Elevant la voix, le détective se tourna vers le superintendant.

– Toute votre vie, Sugden, vous avez nourri une haine profonde contre votre père. Depuis longtemps, vous songiez à le tuer pour vous venger du tort qu'il vous avait fait. Vous habitiez le comté voisin. Votre mère, grâce à l'argent du généreux Simeon Lee, a pu trouver un mari qui a adopté son fils. Il vous fut aisé d'entrer dans la police de Middleshire : un superintendant peut commettre un meurtre et s'en tirer aisément.

Le visage de Sugden devint blanc comme du papier.

– Vous êtes fou! s'écria-t-il. J'étais dehors quand Mr Lee a été tué.

Poirot secoua la tête :

– Non. Vous l'avez tué avant de quitter la maison, lors de votre première visite. Personne ne l'a vu vivant après votre départ. Vous n'avez pas eu grand mal à commettre votre crime. Simeon Lee vous attendait, oui, mais ce n'est pas lui qui vous a appelé. C'est vous qui lui avez téléphoné et lui avez parlé vaguement d'une tentative de vol. Vous lui annonciez votre visite pour 8 heures sous le prétexte d'une quête de charité! Votre venue n'éveilla aucun soupçon chez Mr Lee, qui ignorait totalement que vous étiez son fils. Vous arrivez dans sa chambre et lui racontez une histoire de substitution de diamants. Il ouvre son coffre-fort pour vous montrer que les vrais diamants se trouvent toujours en sa possession. Vous vous excusez et revenez avec lui vers la cheminée et, par surprise, vous lui tranchez la gorge en tenant votre main sur sa bouche afin de l'empêcher de crier. Un jeu d'enfant pour un individu de votre force physique.

» Ensuite, vous disposez la scène. Après avoir enlevé les diamants, vous entassez les tables, les chaises, les lampes et les verres et vous entortillez le tout à l'aide d'une corde mince que vous avez apportée sur vous. Vous avez également une bouteille contenant un mélange du sang d'un animal fraîchement tué et de citrate de sodium. Vous en répandez un peu de tous côtés et ajoutez du citrate au sang qui coule de la blessure de votre victime. Vous activez le feu afin que le corps conserve sa chaleur. Puis, vous passez les deux extrémités de la corde par l'étroite fente au bas de la fenêtre et les laissez pendre le long du mur. Vous sortez de la chambre et tournez la clef à l'extérieur. Ce point est très important, car personne ne doit pénétrer dans cette chambre.

» Alors, vous sortez et cachez les diamants dans le jardin-miniature représentant la mer Morte. Leur découverte, à cet endroit, n'aurait pour résultat que de concentrer les soupçons, suivant votre désir, sur les enfants légitimes de Simeon Lee. Un peu avant 9 heures, vous revenez au pied du mur, sous la fenêtre, et vous tirez sur les extrémités de la corde. La pile de meubles que vous avez posés en équilibre s'écroule avec fracas. Vivement, vous enroulez la corde et la dissimulez sous vos vêtements.

» Mais vous usez aussi d'un autre stratagème...

Poirot se tourna vers les autres.

– Chacun d'entre vous, parlant du cri de Mr Lee mourant, a employé des termes différents. Vous, Mr Alfred Lee, l'avez comparé à la plainte d'un homme mortellement blessé. Votre femme et David Lee ont tous deux employé cette expression : le cri d'un damné. Pour Mrs David Lee, au contraire, c'était un cri sans âme... quelque chose d'inhumain, un cri de bête. Harry Lee approchait davantage de la vérité en disant que ce cri lui rappelait celui d'un cochon que l'on égorge.

» Connaissez-vous ces ballons en caoutchouc rose, ressemblant à des vessies et sur lesquels sont peintes des caricatures? On les vend dans les foires sous le nom de « cochons égorgés ». L'air s'échappe du ballon en produisant un gémissement inhumain. Voilà, Sugden, votre dernière ruse. Vous avez placé dans la chambre de Mr Lee un ballon gonflé, fermé par une cheville de bois reliée à la corde. Lorsque vous avez tiré sur la corde, la cheville a sauté et le ballon s'est dégonflé lentement. Dominant le bruit des meubles renversés et des porcelaines brisées, s'éleva alors le cri du cochon qu'on égorge.

» Devinez-vous maintenant ce qu'a ramassé sur le

plancher Pilar Estravados? Le chef de police espérait faire disparaître ce morceau de caoutchouc avant que personne ne le vît. En tout cas, il l'enleva des mains de Pilar d'une façon tout à fait adroite. Mais il ne parla de cet incident à personne. Ce qui, en soi, était assez suspect. J'appris ce détail de la bouche de Magdalene Lee. Prévoyant cette éventualité, Sugden avait coupé un coin du sac à éponge de Simeon Lee et me le montra avec une cheville de bois. Superficiellement, ces objets répondaient à la description fournie par Magdalene Lee : un morceau de caoutchouc et un bout de bois. Je vis tout de suite que cela n'avait aucun sens. Fou que j'étais! J'aurais dû me dire : « Cela n'offre aucun sens et ne pouvait se trouver là; donc le chef de police Sugden ment... » Au lieu de cela, je me creusai la tête pour y trouver une explication. Mais lorsque miss Estravados, ramassant un morceau de ballon crevé, observa que son grand-père avait dû faire éclater un ballon rose, car elle avait ramassé un bout de caoutchouc dans sa chambre, la vérité éclata à mes yeux.

» A présent, tous les faits concordent : la lutte, l'heure de la mort, la porte fermée à clef, afin qu'on ne découvre pas trop tôt le cadavre et le cri du mourant. Maintenant, tout nous paraît logique et raisonnable.

» Mais à partir du moment où Pilar Estravados annonça tout haut sa découverte au sujet du ballon, elle devint un danger pour le meurtrier. S'il a entendu cette remarque de la maison – ce qui est possible, car elle a la voix haute et claire et les fenêtres étaient ouvertes –, elle-même court un réel danger. Déjà, à cause d'elle, le coupable a passé un mauvais quart d'heure. N'a-t-elle pas dit, en parlant du vieux Mr Lee : « Il devait être bel homme dans sa jeunesse » et ajouté : « Comme vous » en se tournant vers le chef de police? Rien d'étonnant si Sugden rougit et étouffa presque en entendant ce compliment! Dès lors, il songe à diriger les soupçons sur elle. Mais il est bien difficile d'accuser la petite-fille déshéritée de Simeon Lee, qui n'a aucune raison de supprimer son grand-père! Aussi, lorsque, de l'intérieur, il entend la voix claire de Pilar émettre cette remarque au sujet du ballon, il prend un parti désespéré. Pendant que tout le monde déjeune, il monte le boulet de pierre sur la porte de Pilar. Par miracle, la jeune fille échappe à la mort...

Un lourd silence pesa sur l'auditoire de Poirot.

Puis d'un ton calme, Sugden demanda au détective :

— Quand avez-vous eu la certitude de ma culpabilité?

— Mes derniers doutes se dissipèrent lorsque je rapportai une fausse moustache à la maison et l'essayai sur le portrait de Simeon Lee. Alors... je reconnus votre visage, trait pour trait.

— Que son âme aille en enfer! s'exclama Sugden. Je ne regrette pas mon acte!

SEPTIÈME PARTIE

28 DÉCEMBRE

I

— Pilar disait Lydia Lee, vous feriez bien de rester ici jusqu'à ce que nous ayons pris des arrangements en ce qui vous concerne.

— C'est très gentil de votre part, Lydia, répondit doucement la jeune fille. Vous pardonnez vite.

Lydia sourit :

— Je vous appelle toujours Pilar, bien que ce ne soit pas votre nom.

— En effet, je m'appelle réellement Conchita Lopez.

— C'est très joli, Conchita.

— Vous êtes vraiment trop bonne, Lydia. Mais ne vous tracassez pas à mon sujet. Je vais épouser Stephen et nous irons vivre en Afrique du Sud.

— Je vous félicite, Conchita. Tout s'arrange au mieux, pour vous.

Timide, la jeune espagnole dit à Lydia :

— Puisque vous vous êtes montrée si bonne, Lydia, est-ce que nous pourrions plus tard venir vous voir et... peut-être passer la Noël près de vous?

— Certainement, vous reviendrez et nous fêterons convenablement la fête de Noël.

— Ce sera charmant, Lydia. Ce Noël-ci n'a pas été réussi.

— Pour nous, ce ne fut pas un vrai Noël, soupira Lydia...

II

– Au revoir, Alfred, dit Harry. Ne crois pas que je viendrai souvent te déranger. Je me rends à Hawaii. Je m'étais toujours promis d'aller vivre dans ce paradis dès que j'aurais un peu d'argent.

– Au revoir, Harry. Je te souhaite de vivre heureux.

– Je regrette de t'avoir si souvent mis en colère, mon vieux, murmura Harry, gêné. J'ai mauvais esprit et ne peux m'empêcher de taquiner les autres.

– C'est moi qui devrais apprendre à accepter la plaisanterie, dit Alfred en prenant sur lui.

Soulagé, Harry s'en alla.

– Au revoir, vieux... à bientôt!

III

– Lydia et moi nous avons décidé de vendre la maison, dit Alfred à David. Peut-être voudrais-tu conserver certains meubles ayant appartenu à notre mère... par exemple son fauteuil et le tabouret. Tu as toujours été son préféré.

– Je te remercie d'y avoir songé, Alfred, répondit David après un instant d'hésitation, mais je ne désire rien emporter. Je juge préférable de rompre définitivement avec le passé.

– Je te comprends, dit Alfred. Tu as raison.

IV

– Au revoir, Alfred, dit George. Au revoir, Lydia. Quel affreux Noël nous avons passé! Et il y aura encore le jugement. Cette vilaine histoire va faire du scandale, puisque Sugden est le fils de notre père. Ne pourrait-on lui suggérer de se faire passer pour communiste... et donner comme mobile de son crime sa haine de notre père, en tant que capitaliste?

— Mon cher George, lui répondit Lydia, croyez-vous réellement qu'un homme de la trempe de Sugden va mentir pour vous faire plaisir?

— Euh... non, sans doute. Tout de même, il faut qu'il soit fou. Enfin, au revoir!

— Au revoir, dit Magdalene. L'année prochaine nous passerons un joyeux Noël sur la Riviera et nous nous amuserons bien.

— Cela dépendra du change, remarqua George.

— Voyons, chéri, cesse un peu de toujours compter tes sous, lui dit sa femme.

V

Alfred sortit sur la terrasse. Lydia se penchait sur un de ses petits jardins. Elle se redressa à l'approche de son mari.

— Eh bien, les voilà tous partis! soupira ce dernier.

— Oui..., heureusement.

— En effet, convint Alfred. Te réjouis-tu à l'idée de quitter Gorston?

— Et toi?

— J'en suis très content. Nous pouvons vivre très heureux ailleurs, alors qu'ici tout nous rappelle cet affreux cauchemar. Dieu merci, c'est fini!

— Grâce à Hercule Poirot, dit Lydia.

— Oui. C'est étonnant comme tout devint simple lorsqu'il nous exposa les détails de l'affaire.

— Cela me fait penser à un puzzle. Lorsqu'on arrive à la fin, les morceaux qui semblaient ne pouvoir aller nulle part trouvent leur place d'eux-mêmes.

– Pour moi, fit Alfred, un point demeure obscur. Que faisait George après avoir téléphoné? Pourquoi ne l'a-t-il pas dit?

– Ne devines-tu pas? Je l'ai tout de suite deviné. Il fouillait dans tes papiers sur ton bureau.

– Oh! Lydia. Personne n'oserait faire une chose pareille!

– Pardon, George en est capable. Les affaires d'argent l'intéressent énormément. Bien sûr, il ne pouvait l'avouer. Il faudrait le traîner devant les tribunaux avant de le lui faire admettre.

Alfred demanda à sa femme :

– Commences-tu un autre jardin?

– Oui.

– Que fais-tu, cette fois?

– J'essaie de représenter le paradis terrestre... Celui-ci sera d'un modèle inédit... Il n'y aura pas de serpent, et Adam et Eve auront atteint l'âge mûr.

– Ma chérie, comme tu as été patiente durant toutes ces années! Pour moi tu as toujours été l'épouse parfaite.

– C'est parce que je t'aime, Alfred.

VI

Le colonel Johnson n'en revenait pas.

– Grand Dieu! Est-ce possible? Ma parole! Qui l'aurait cru? (Se rejetant dans son fauteuil, il considéra Poirot. Puis, il ajouta tristement :) Mon bras droit! A quel niveau la police est-elle tombée?

– Les policiers, eux aussi, ont une vie privée, remarqua Poirot. Sugden était un type très orgueilleux.

Le colonel Johnson hocha la tête.

Pour soulager sa colère, il donna de grands coups de pied dans les bûches du foyer. D'une voix saccadée, il dit :

– Rien ne vaut... un bon feu de bois!

Hercule Poirot, sentant le courant d'air effleurer sa nuque, pensa en lui-même :

« Pour moi, rien de tel que le chauffage central... »

Les Reines du Crime

Nouvelles venues ou spécialistes incontestées, les grandes dames du roman policier dans leurs meilleures œuvres.

IMPRIMÉ EN FRANCE PAR BRODARD ET TAUPIN
Usine de La Flèche (Sarthe).
ISBN : 2 - 7024 - 0808 - 7
ISSN : 0768 - 0384

H 31/0382/7